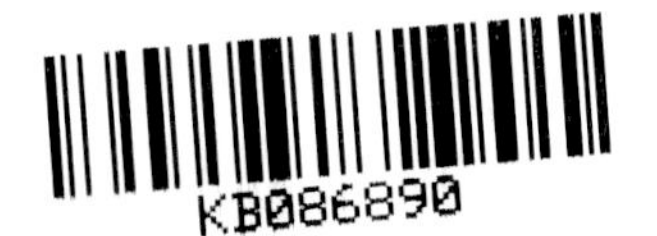

상위권으로 가는 문제 해결 연산 학습지

응용 연산

E2

초5~초6

분수의 곱셈

Creative to Math

응용연산 : 상위권으로 가는 문제해결 연산 학습지

요즘 아이들은 초등학교 입학 전에 연산 문제집 한 권 정도는 풀어본 경험이 있습니다. 어릴 때부터 연산 문제를 많이 풀었기 때문에 아이들은 아직 학교에서 배우지 않은 계산 문제를 슥슥 풀어서 부모님들을 흐뭇하게 만들기도 합니다. 그런데 아이들의 연산 능력은 날로 높아지지만 수학 실력은 과거에 비해 그다지 늘지 않은 것 같습니다. 사실 진짜 수학 실력은 연산 문제나 사고력 수학 문제를 주로 푸는 초등 저학년 때는 잘 드러나지 않습니다. 응용 문제를 본격적으로 풀기 시작하는 초등 3, 4학년이 되어서야 아이의 수학 실력을 판별할 수 있습니다.

초등 수학에서 연산이 가장 중요한 것은 부정할 수 없는 사실입니다. 중학생, 고등학생이 되어서 부족한 연산 능력을 키우는 것은 거의 불가능합니다. 이러한 연산의 특수성 때문에 아이들은 어린 나이부터 연산을 반복적으로 연습하여 실력을 키우려고 합니다. 이렇게 열심히 연산을 공부하는데도 왜 어떤 아이들은 수학 문제를 잘 풀지 못하는 것일까요? 그 이유는 현재 연산 학습의 목적이 단지 '계산을 잘 하는 것'이 되어버렸기 때문입니다. 연산은 연산 자체가 목적이 될 수 없으며 수학의 진짜 목표인 문제를 잘 풀기 위한 수단으로 연산을 학습해야 합니다.

과거 초등 수학 교과서의 연산 단원은 ① 원리와 연습 ② 문장제 활용의 단순한 구성이었습니다만 요즘의 교과서는 많이 달라졌습니다. 원리와 연습은 그대로이거나 조금 줄었지만 연산을 응용하는 방식은 좀 더 다양해졌습니다. 계산 능력의 향상만을 꾀하는 것이 아니라 여러 가지 퍼즐이나 수학적 상황 등을 해결할 수 있는 '응용력'에 초점을 맞추고 있다는 것을 보여주는 변화입니다. 따라서 저희는 연산 학습지도 원리나 연습 위주에서 벗어나 실제 문제를 해결할 수 있는 능력에 포인트를 맞추어야 한다고 생각합니다.

'연산은 잘 하는데 수학 문제는 왜 못 풀까요?'에 대한 대답이자 대안으로 저희는 「응용연산」이라는 새로운 컨셉의 연산 학습지를 만들었습니다. 연산 원리를 이해하고 연습하는 것에 그치지 않고, 익힌 것을 활용하는 방법을 바로 보여줄 수 있어야 아이들이 수학 문제에 연산을 효과적으로 적용할 수 있습니다. 연습은 꼭 필요한 만큼만 하고, 더 중요한 응용 문제에 바로 도전함으로써 연산과 문제 해결이 단절되지 않게 하는 것이 「응용연산」에서 기대하는 가장 큰 목표입니다.

「응용연산」을 통해 아이들이 왜 연산을 해야 하는지 스스로 느낄 수 있을 것이라 자신합니다. 이제 연산은 '원리'나 '연습'이 아닌 스스로 문제를 해결할 수 있는 '응용력'입니다.

응용연산의 구성과 특징

- 매일 부담없이 4쪽씩 연산 학습
- 매주 4일간 단계별 연산 학습과 응용 문제를 통한 연산 실력 확인
- 매주 1일 형성평가로 테스트 및 복습

주차별 구성

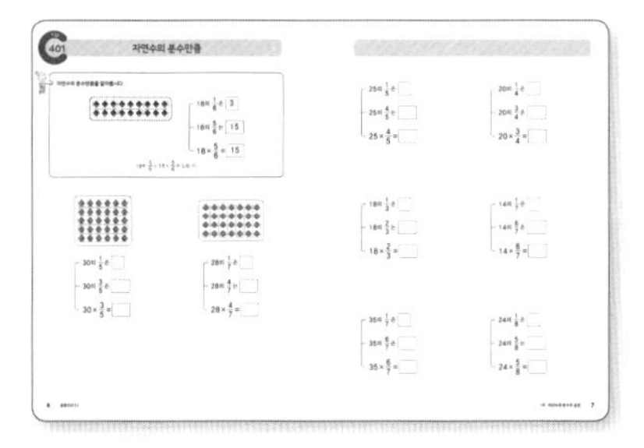

원리연산

대표 문제를 통해 학습하는 매일 새로운 단계별 연산 학습

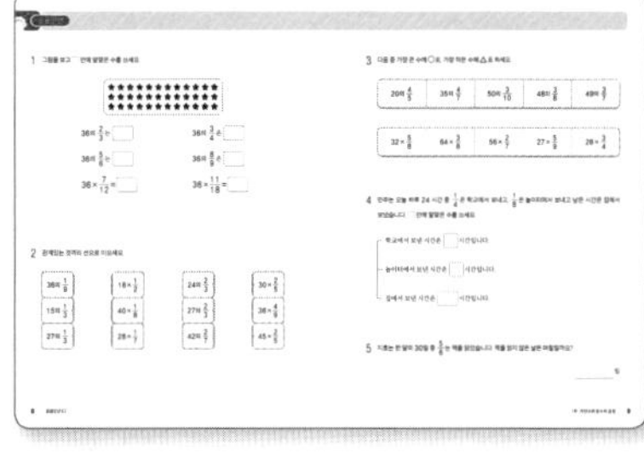

응용연산

기본 문제와 응용 문제를 통한 응용력과 문제해결력 증진

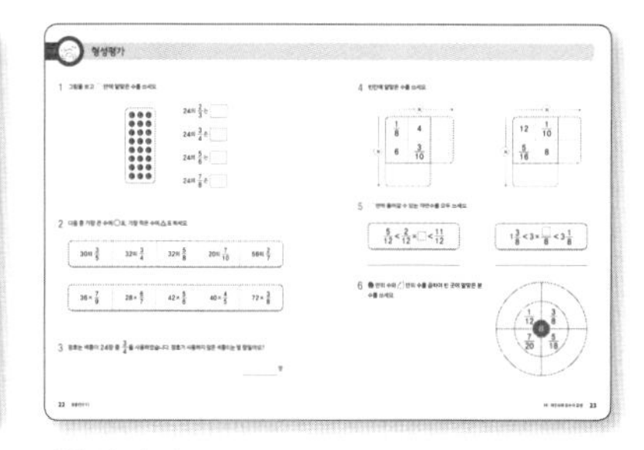

형성평가

가장 중요한 유형을 다시 한번 복습하며 주차 학습 마무리

	1일	2일	3일	4일	5일
1주차	6쪽 ~ 9쪽	10쪽 ~ 13쪽	14쪽 ~ 17쪽	18쪽 ~21쪽	22쪽 ~ 24쪽
2주차	26쪽 ~ 29쪽	30쪽 ~ 33쪽	34쪽 ~ 37쪽	38쪽 ~ 41쪽	42쪽 ~ 44쪽
3주차	46쪽 ~ 49쪽	50쪽 ~ 53쪽	54쪽 ~ 57쪽	58쪽 ~61쪽	62쪽 ~ 64쪽
4주차	66쪽 ~ 69쪽	70쪽 ~ 73쪽	74쪽 ~ 77쪽	78쪽 ~81쪽	82쪽 ~ 84쪽

정답 및 해설

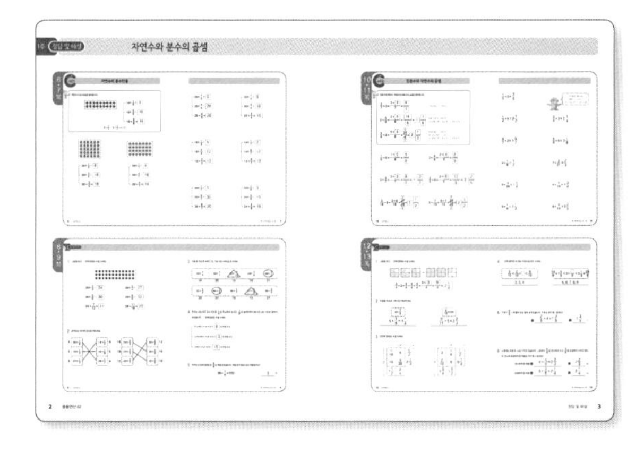

문제와 답을 한눈에 볼 수 있습니다.

이 책의 차례

1 주차	자연수와 분수의 곱셈	5
2 주차	분수와 분수의 곱셈	25
3 주차	분수와 소수	45
4 주차	소수의 곱셈	65

1주차

자연수와 분수의 곱셈

자연수와 진분수, 대분수의 곱셈

1일 401 • 자연수의 분수만큼 06

2일 402 • 진분수와 자연수의 곱셈 10

3일 403 • 약분하여 곱셈하기 14

4일 404 • 대분수와 자연수의 곱셈 18

5일 형성평가 22

자연수의 분수만큼

자연수의 분수만큼을 알아봅시다.

18의 $\frac{1}{6}$은 3

18의 $\frac{5}{6}$는 15

$18\times\frac{5}{6}=$ 15

18의 $\frac{5}{6}$는 $18\times\frac{5}{6}$와 같습니다.

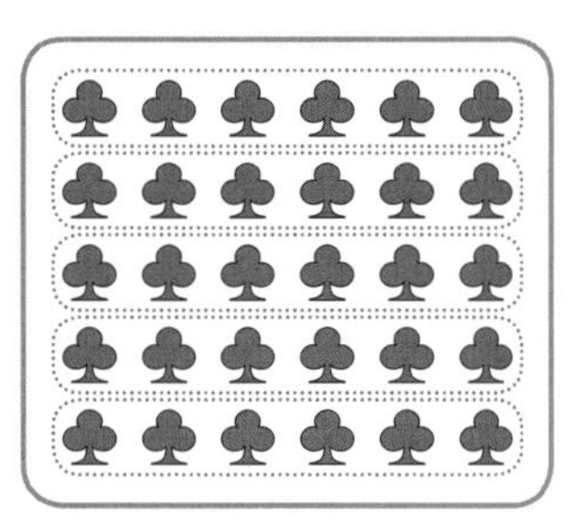

30의 $\frac{1}{5}$은 ☐

30의 $\frac{3}{5}$은 ☐

$30\times\frac{3}{5}=$ ☐

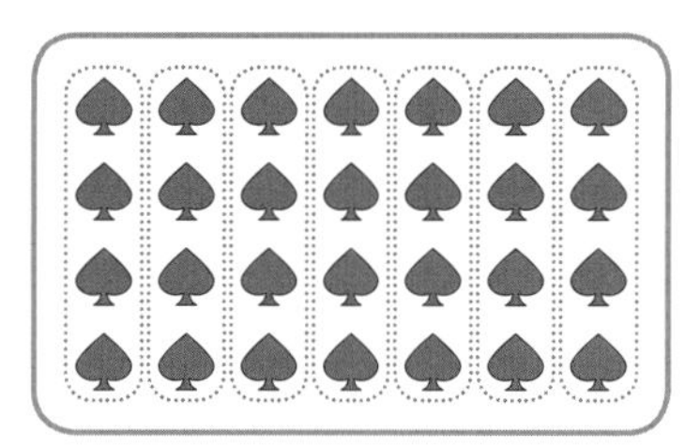

28의 $\frac{1}{7}$은 ☐

28의 $\frac{4}{7}$는 ☐

$28\times\frac{4}{7}=$ ☐

25의 $\frac{1}{5}$은 ☐

25의 $\frac{4}{5}$는 ☐

$25 \times \frac{4}{5} =$ ☐

20의 $\frac{1}{4}$은 ☐

20의 $\frac{3}{4}$은 ☐

$20 \times \frac{3}{4} =$ ☐

18의 $\frac{1}{3}$은 ☐

18의 $\frac{2}{3}$는 ☐

$18 \times \frac{2}{3} =$ ☐

14의 $\frac{1}{7}$은 ☐

14의 $\frac{6}{7}$은 ☐

$14 \times \frac{6}{7} =$ ☐

35의 $\frac{1}{7}$은 ☐

35의 $\frac{6}{7}$은 ☐

$35 \times \frac{6}{7} =$ ☐

24의 $\frac{1}{8}$은 ☐

24의 $\frac{5}{8}$는 ☐

$24 \times \frac{5}{8} =$ ☐

1 그림을 보고 □ 안에 알맞은 수를 쓰세요.

36의 $\frac{2}{3}$는 □

36의 $\frac{3}{4}$은 □

36의 $\frac{5}{6}$는 □

36의 $\frac{8}{9}$은 □

$36\times\frac{7}{12}=$ □

$36\times\frac{11}{18}=$ □

2 관계있는 것끼리 선으로 이으세요.

36의 $\frac{1}{9}$	$18\times\frac{1}{2}$	24의 $\frac{2}{3}$	$30\times\frac{2}{5}$
15의 $\frac{1}{3}$	$40\times\frac{1}{8}$	27의 $\frac{2}{3}$	$36\times\frac{4}{9}$
27의 $\frac{1}{3}$	$28\times\frac{1}{7}$	42의 $\frac{2}{7}$	$45\times\frac{2}{5}$

3 다음 중 가장 큰 수에 ○표, 가장 작은 수에 △표 하세요.

20의 $\frac{4}{5}$	35의 $\frac{4}{7}$	50의 $\frac{3}{10}$	48의 $\frac{3}{8}$	49의 $\frac{3}{7}$

$32\times\frac{5}{8}$	$64\times\frac{3}{8}$	$56\times\frac{2}{7}$	$27\times\frac{5}{9}$	$28\times\frac{3}{4}$

4 민주는 오늘 하루 24 시간 중 $\frac{1}{4}$은 학교에서 보내고, $\frac{1}{8}$은 놀이터에서 보내고 남은 시간은 집에서 보냈습니다. □ 안에 알맞은 수를 쓰세요.

- 학교에서 보낸 시간은 □ 시간입니다.
- 놀이터에서 보낸 시간은 □ 시간입니다.
- 집에서 보낸 시간은 □ 시간입니다.

5 지호는 한 달의 30일 중 $\frac{5}{6}$는 책을 읽었습니다. 책을 읽지 않은 날은 며칠일까요?

________ 일

진분수와 자연수의 곱셈

진분수와 자연수, 자연수와 진분수의 곱셈을 알아봅시다.

$$\frac{2}{7}\times 3=\frac{2\times \boxed{3}}{7}=\frac{\boxed{6}}{\boxed{7}}$$

분자와 자연수를 곱합니다.

$$2\times \frac{5}{9}=\frac{2\times \boxed{5}}{9}=\frac{\boxed{10}}{\boxed{9}}=\boxed{1}\frac{\boxed{1}}{\boxed{9}}$$

자연수와 분자를 곱합니다.
계산 결과가 가분수이면 대분수로 나타냅니다.

$$\frac{5}{6}\times 3=\frac{5\times \boxed{3}}{6}=\frac{\overset{\boxed{5}}{\cancel{15}}}{\underset{\boxed{2}}{\cancel{6}}}=\boxed{2}\frac{\boxed{1}}{\boxed{2}}$$

분자와 자연수를 곱합니다.
약분하여 기약분수로 나타내고,
계산 결과가 가분수이면 대분수로 나타냅니다.

$$\frac{1}{8}\times 5=\frac{1\times \square}{8}=\frac{\square}{\square}$$

$$2\times \frac{4}{9}=\frac{2\times \square}{9}=\frac{\square}{\square}$$

$$3\times \frac{3}{7}=\frac{3\times \square}{7}=\frac{\square}{\square}=\square\frac{\square}{\square}$$

$$\frac{2}{5}\times 6=\frac{2\times \square}{5}=\frac{\square}{\square}=\square\frac{\square}{\square}$$

$$\frac{3}{18}\times 9=\frac{3\times 9}{18}=\frac{\overset{\square}{\cancel{27}}}{\underset{\square}{\cancel{18}}}=\square\frac{\square}{\square}$$

$$5\times \frac{7}{10}=\frac{5\times 7}{10}=\frac{\overset{\square}{\cancel{35}}}{\underset{\square}{\cancel{10}}}=\square\frac{\square}{\square}$$

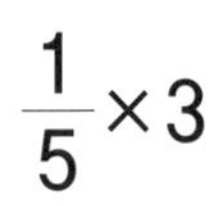

$\frac{1}{5}\times3$

계산 결과는 약분하여
기약분수로 나타내고,
가분수이면 대분수로 나타냅니다.

$\frac{1}{2}\times5$

$\frac{3}{4}\times3$

$\frac{6}{7}\times2$

$\frac{5}{8}\times5$

$4\times\frac{1}{8}$

$7\times\frac{2}{21}$

$9\times\frac{5}{36}$

$4\times\frac{7}{16}$

$9\times\frac{1}{6}$

$8\times\frac{3}{10}$

1 그림을 보고 □ 안에 알맞은 수를 쓰세요.

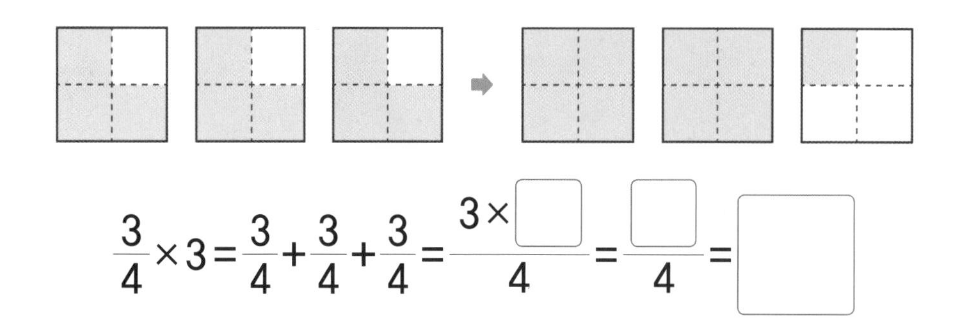

2 다음을 식으로 나타내고 계산하세요.

6의 $\frac{2}{9}$

$\frac{8}{15}$의 5배

3 빈칸에 알맞은 수를 쓰세요.

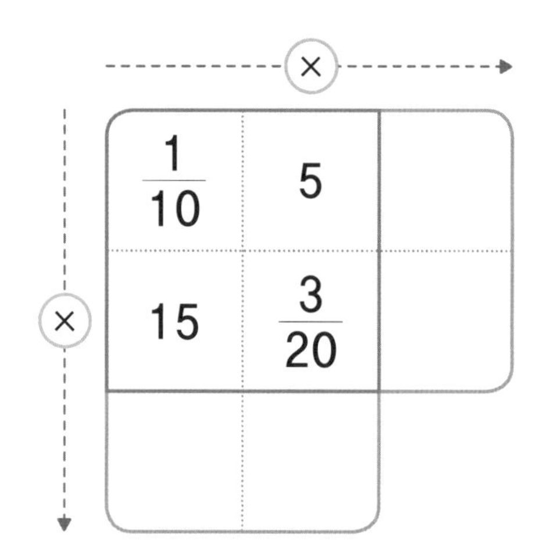

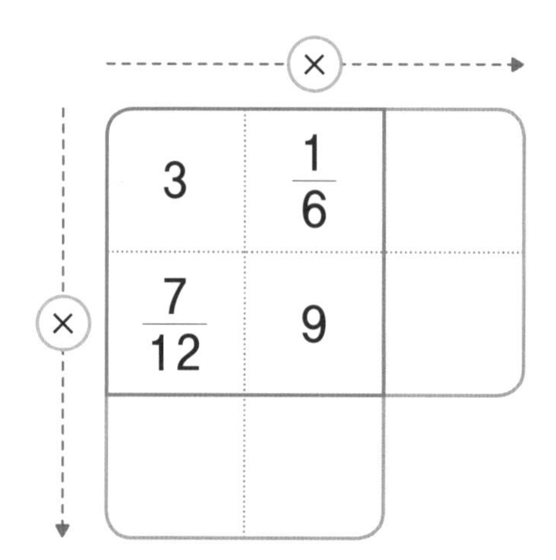

4 □ 안에 들어갈 수 있는 자연수를 모두 쓰세요.

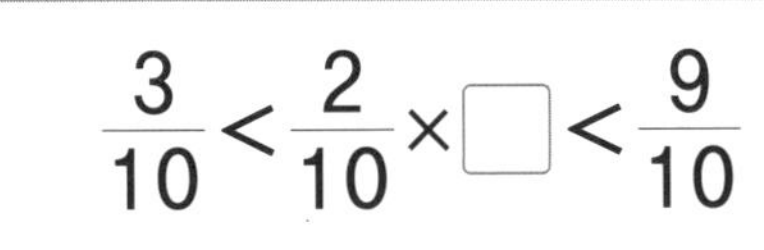

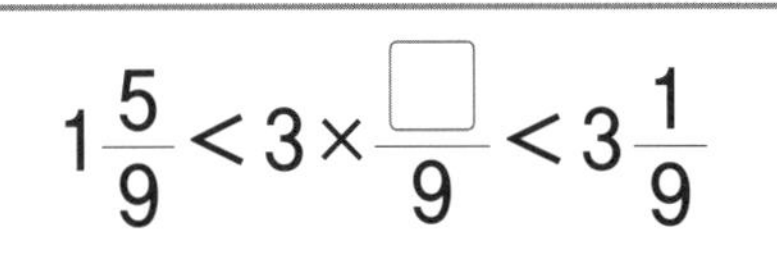

5 우유가 $\frac{2}{5}$ L씩 들어 있는 컵이 4개 있습니다. 우유는 모두 몇 L일까요?

식  답  L

6 소영이는 리본 6 m를 가지고 있습니다. 그중에서 $\frac{4}{9}$를 언니에게 주고 $\frac{3}{8}$을 동생에게 주려고 합니다. 언니와 동생에게 준 리본은 각각 몇 m일까요?

언니에게 준 리본: 식 ______ 답 ______ m

동생에게 준 리본: 식 ______ 답 ______ m

약분하여 곱셈하기

약분하여 곱셈하는 방법을 알아봅시다.

[방법 1] $\frac{4}{9}\times 6=\frac{4\times \overset{\boxed{2}}{\cancel{6}}}{\underset{\boxed{3}}{\cancel{9}}}=\frac{\boxed{8}}{3}=\boxed{2}\frac{\boxed{2}}{\boxed{3}}$

분자와 자연수의 곱으로 나타낸 후 약분을 한 다음 곱합니다.

[방법 2] $\frac{4}{\underset{\boxed{3}}{\cancel{9}}}\times \overset{\boxed{2}}{\cancel{6}}=\frac{4\times\boxed{2}}{\boxed{3}}=\frac{\boxed{8}}{3}=\boxed{2}\frac{\boxed{2}}{\boxed{3}}$

약분을 먼저 한 다음 분자와 자연수를 곱합니다.

[방법 1] $\frac{5}{12}\times 18=\frac{5\times \overset{\square}{\cancel{18}}}{\underset{\square}{\cancel{12}}}=\frac{\square}{2}=\square\frac{\square}{\square}$

[방법 2] $\frac{5}{\underset{\square}{\cancel{12}}}\times \overset{\square}{\cancel{18}}=\frac{5\times\square}{\square}=\frac{\square}{2}=\square\frac{\square}{\square}$

[방법 1] $21\times\frac{3}{14}=\frac{\overset{\square}{\cancel{21}}\times 3}{\underset{\square}{\cancel{14}}}=\frac{\square}{2}=\square\frac{\square}{\square}$

[방법 2] $\overset{\square}{\cancel{21}}\times\frac{3}{\underset{\square}{\cancel{14}}}=\frac{\square\times 3}{\square}=\frac{\square}{2}=\square\frac{\square}{\square}$

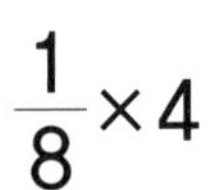

$\frac{1}{8} \times 4$

약분한 후 계산한 결과가
가분수이면 대분수로 나타냅니다.

$3 \times \frac{7}{12}$

$\frac{8}{15} \times 5$

$\frac{2}{15} \times 5$

$6 \times \frac{3}{8}$

$9 \times \frac{5}{6}$

$\frac{7}{15} \times 10$

$\frac{5}{12} \times 8$

$12 \times \frac{9}{10}$

$15 \times \frac{10}{27}$

$\frac{11}{36} \times 24$

1 계산 결과가 같은 것끼리 선으로 이으세요.

$9\times\frac{5}{12}$	$\frac{6}{7}\times5$
$7\times\frac{5}{14}$	$\frac{3}{4}\times5$
$6\times\frac{5}{7}$	$\frac{7}{14}\times5$

$4\times\frac{3}{5}$	$\frac{1}{5}\times2$
$3\times\frac{2}{15}$	$\frac{4}{5}\times3$
$6\times\frac{8}{9}$	$\frac{6}{9}\times8$

2 ● 안의 수와 ◸ 안의 수를 곱하여 빈 곳에 알맞은 분수를 쓰세요.

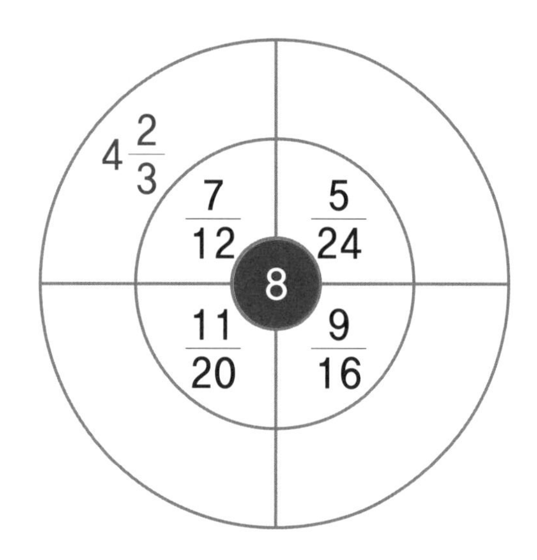

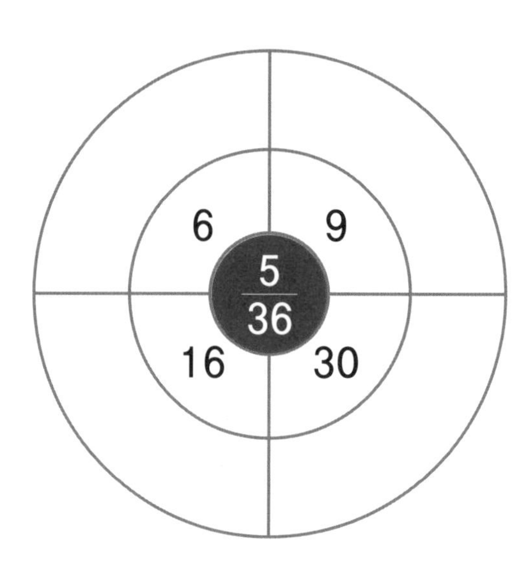

3 계산 결과가 가장 큰 것에 ○표, 가장 작은 것에 △표 하세요.

$\frac{3}{4}\times 2$	$\frac{3}{8}\times 6$	$3\times\frac{5}{6}$	$5\times\frac{7}{15}$

$\frac{5}{12}\times 9$	$5\times\frac{7}{10}$	$\frac{4}{9}\times 6$	$7\times\frac{5}{14}$

4 주어진 수를 한 번씩 모두 사용하여 계산 결과가 가장 큰 (자연수)×(진분수)의 식을 만들고 계산하세요.

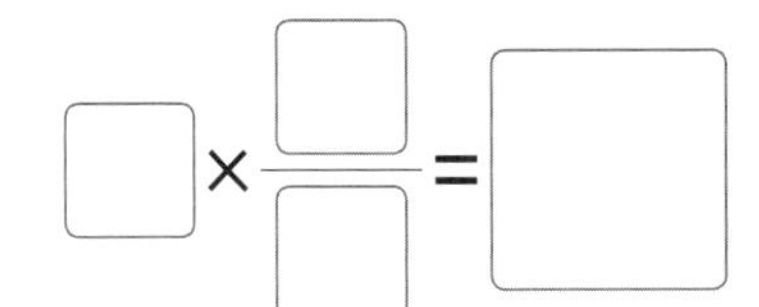

$\square\times\frac{\square}{\square}=\square$

5 승호는 집에서 6 km 떨어진 할머니 댁에 갔습니다. 전체 거리의 $\frac{5}{8}$는 버스를 타고 가고 나머지는 걸었다면 걸은 거리는 몇 km일까요?

식 ________________ 답 ________ km

대분수와 자연수의 곱셈

대분수와 자연수의 곱셈을 알아봅시다.

[방법 1] $2\frac{5}{9}\times 6=\frac{\boxed{23}}{\cancel{9}_{\boxed{3}}}\times \cancel{6}^{\boxed{2}}=\frac{\boxed{46}}{3}=\boxed{15}\frac{\boxed{1}}{\boxed{3}}$

대분수를 가분수로 고친 후 약분이 되면 먼저 약분하여 계산합니다.

[방법 2] $2\frac{5}{9}\times 6=(2\times 6)+(\frac{5}{\cancel{9}_{\boxed{3}}}\times \cancel{6}^{\boxed{2}})=12+\boxed{3}\frac{\boxed{1}}{\boxed{3}}=\boxed{15}\frac{\boxed{1}}{\boxed{3}}$

대분수를 자연수와 분수 부분으로 나누어 계산합니다.

[방법 1] $1\frac{3}{8}\times 6=\frac{\square}{\cancel{8}_{\square}}\times \cancel{6}^{\square}=\frac{\square}{4}=\square\frac{\square}{\square}$

[방법 2] $1\frac{3}{8}\times 6=(1\times 6)+(\frac{3}{\cancel{8}_{\square}}\times \cancel{6}^{\square})=6+\square\frac{\square}{\square}=\square\frac{\square}{\square}$

[방법 1] $4\times 2\frac{5}{6}=\cancel{4}^{\square}\times \frac{\square}{\cancel{6}_{\square}}=\frac{\square}{3}=\square\frac{\square}{\square}$

[방법 2] $4\times 2\frac{5}{6}=(4\times 2)+(\cancel{4}^{\square}\times \frac{5}{\cancel{6}_{\square}})=8+\square\frac{\square}{\square}=\square\frac{\square}{\square}$

$2\frac{3}{5}\times3$

$2\times3\frac{2}{9}$

$2\frac{1}{7}\times5$

$4\times1\frac{2}{3}$

$1\frac{3}{8}\times2$

$3\times3\frac{2}{9}$

$2\frac{2}{5}\times25$

$21\times3\frac{5}{7}$

$3\frac{3}{4}\times14$

$25\times1\frac{4}{15}$

$2\frac{5}{6}\times9$

$16\times3\frac{7}{12}$

1 계산 결과가 왼쪽 수보다 큰 식에 모두 ◯표 하세요.

4	$\frac{9}{10}\times4$	$4\times1\frac{1}{8}$	$1\frac{7}{8}\times2$	$2\times2\frac{1}{7}$
$4\frac{2}{7}$	$\frac{2}{7}\times4$	$4\times1\frac{2}{7}$	$2\frac{2}{7}\times2$	$3\times1\frac{2}{7}$
10	$\frac{10}{11}\times10$	$3\times3\frac{3}{10}$	$2\frac{1}{5}\times5$	$4\times2\frac{3}{5}$

2 빈칸에 알맞은 수를 쓰세요.

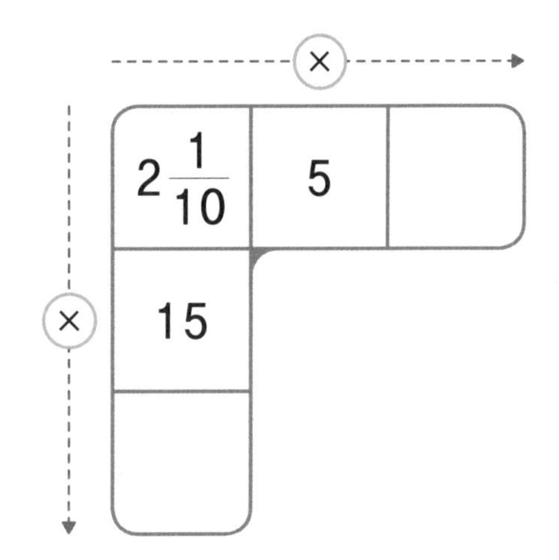

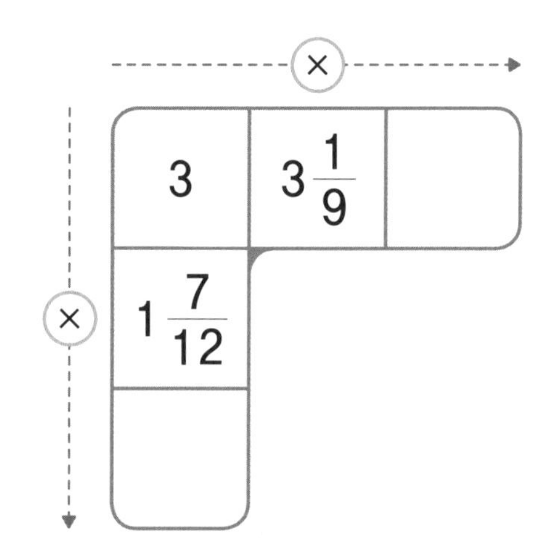

3 □ 안에 들어갈 수 있는 자연수를 모두 쓰세요.

$$2\frac{1}{5} < 1\frac{1}{5} \times \square < 5\frac{1}{5}$$

____

$$3\frac{1}{9} < 2 \times 1\frac{\square}{9} < 3\frac{8}{9}$$

____

4 주어진 수를 한 번씩 모두 사용하여 계산 결과가 가장 큰 (자연수) × (대분수)의 식을 만들고 계산하세요.

$$\square \times \square\frac{\square}{\square} = \square$$

$$\square \times \square\frac{\square}{\square} = \square$$

5 한 변이 $4\frac{1}{6}$ cm인 정사각형의 둘레는 얼마인가요?

 식 ______________________ 답 ____________ cm

형성평가

1 그림을 보고 □ 안에 알맞은 수를 쓰세요.

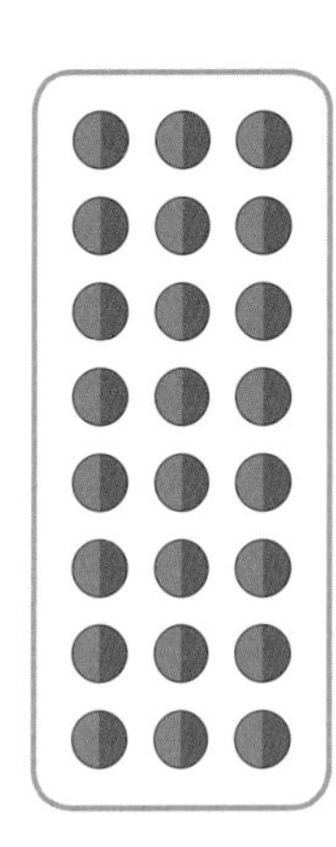

24의 $\frac{2}{3}$는 □

24의 $\frac{3}{4}$은 □

24의 $\frac{5}{6}$는 □

24의 $\frac{7}{8}$은 □

2 다음 중 가장 큰 수에 ○표, 가장 작은 수에 △표 하세요.

30의 $\frac{3}{5}$	32의 $\frac{3}{4}$	32의 $\frac{5}{8}$	20의 $\frac{7}{10}$	56의 $\frac{2}{7}$

$36\times\frac{7}{9}$	$28\times\frac{6}{7}$	$42\times\frac{5}{6}$	$40\times\frac{4}{5}$	$72\times\frac{3}{8}$

3 정호는 색종이 24장 중 $\frac{3}{4}$을 사용하였습니다. 정호가 사용하지 않은 색종이는 몇 장일까요?

_______ 장

4 빈칸에 알맞은 수를 쓰세요.

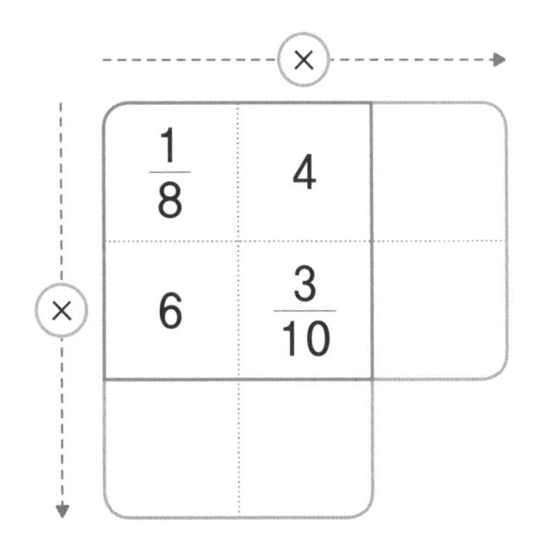

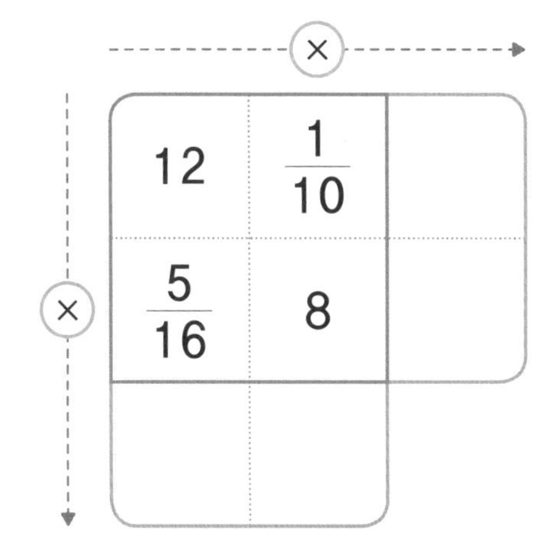

5 □ 안에 들어갈 수 있는 자연수를 모두 쓰세요.

$$\frac{5}{12} < \frac{2}{12} \times \square < \frac{11}{12}$$

$$1\frac{3}{8} < 3 \times \frac{\square}{8} < 3\frac{1}{8}$$

6 ● 안의 수와 ◸ 안의 수를 곱하여 빈 곳에 알맞은 분수를 쓰세요.

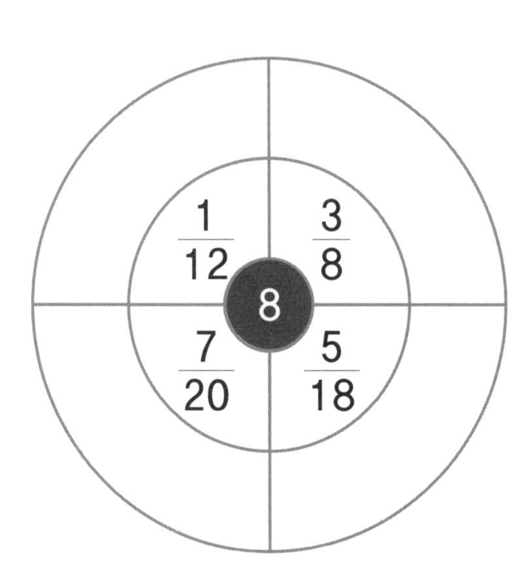

7 주어진 수를 한 번씩 모두 사용하여 계산 결과가 가장 큰 (자연수)×(진분수), (자연수)×(대분수)의 식을 만들고 계산하세요.

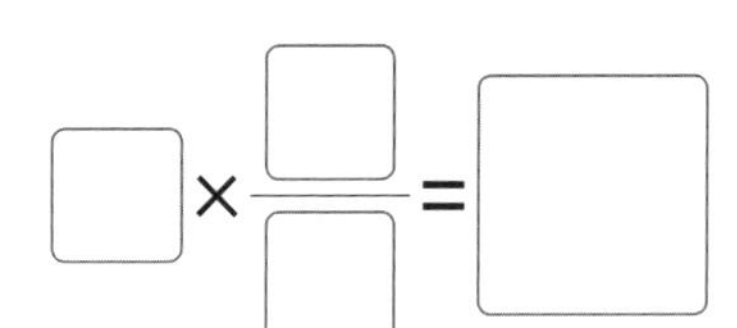

$\square \times \frac{\square}{\square} = \square$

$\square \times \square \frac{\square}{\square} = \square$

8 다음과 같은 직사각형 모양의 꽃밭이 있습니다. 이 꽃밭의 넓이는 몇 m^2인가요?

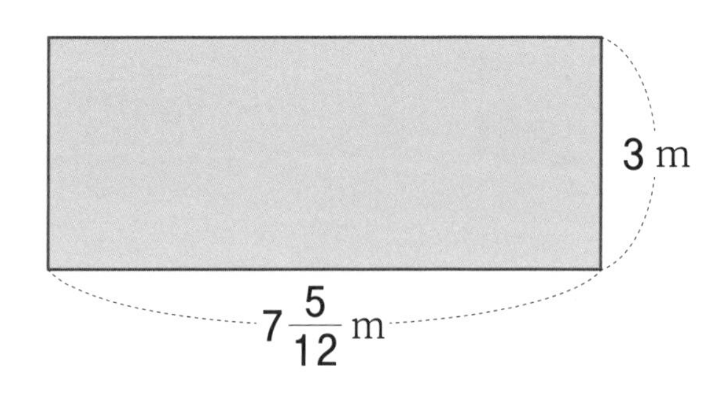

식

답 m^2

9 한 변이 $2\frac{3}{10}$ cm인 정사각형의 둘레는 얼마인가요?

식 ______

답 ______ cm

2주차

분수와 분수의 곱셈

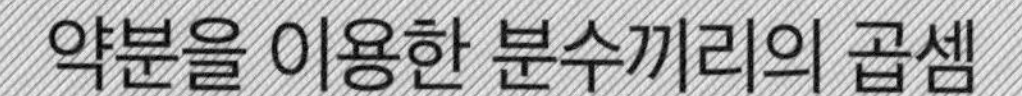

약분을 이용한 분수끼리의 곱셈

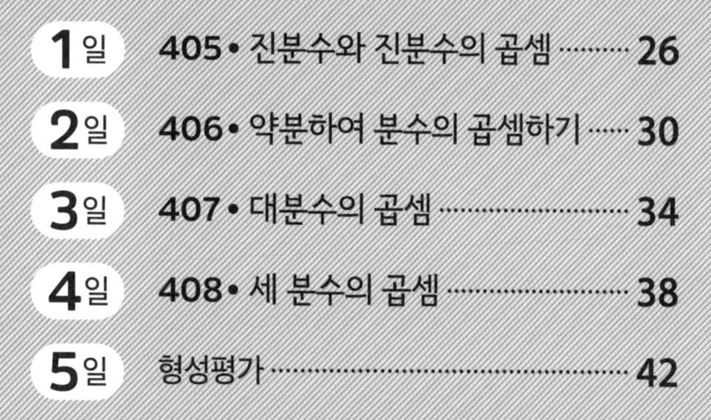

1일 405 • 진분수와 진분수의 곱셈 26

2일 406 • 약분하여 분수의 곱셈하기 30

3일 407 • 대분수의 곱셈 34

4일 408 • 세 분수의 곱셈 38

5일 형성평가 42

진분수와 진분수의 곱셈

개념 원리

진분수의 곱셈을 알아봅시다.

$$\frac{3}{5}\times\frac{3}{4}=\frac{\boxed{3}\times 3}{5\times\boxed{4}}=\frac{\boxed{9}}{\boxed{20}}$$

분자는 분자끼리, 분모는 분모끼리 곱합니다.

$$\frac{5}{6}\times\frac{4}{9}=\frac{\boxed{5}\times 4}{6\times\boxed{9}}=\frac{\overset{\boxed{10}}{\cancel{20}}}{\underset{\boxed{27}}{\cancel{54}}}=\frac{\boxed{10}}{\boxed{27}}$$

분자는 분자끼리, 분모는 분모끼리 곱한 후 약분하여 기약분수로 나타냅니다.

$$\frac{1}{7}\times\frac{1}{2}=\frac{1\times\square}{\square\times 2}=\frac{\square}{\square}$$

$$\frac{2}{3}\times\frac{2}{9}=\frac{\square\times 2}{3\times\square}=\frac{\square}{\square}$$

$$\frac{6}{7}\times\frac{4}{9}=\frac{6\times\square}{\square\times 9}=\frac{\overset{\square}{\cancel{24}}}{\underset{\square}{\cancel{63}}}=\frac{\square}{\square}$$

$$\frac{7}{10}\times\frac{5}{6}=\frac{7\times\square}{\square\times 6}=\frac{\overset{\square}{\cancel{35}}}{\underset{\square}{\cancel{60}}}=\frac{\square}{\square}$$

$\frac{1}{2} \times \frac{1}{2}$

$\frac{1}{5} \times \frac{1}{8}$

$\frac{1}{6} \times \frac{2}{3}$

$\frac{4}{5} \times \frac{1}{7}$

$\frac{1}{4} \times \frac{3}{4}$

$\frac{2}{5} \times \frac{3}{7}$

$\frac{4}{9} \times \frac{2}{5}$

$\frac{3}{4} \times \frac{7}{9}$

$\frac{2}{3} \times \frac{1}{2}$

$\frac{2}{5} \times \frac{3}{4}$

$\frac{3}{4} \times \frac{3}{4}$

$\frac{2}{3} \times \frac{5}{7}$

$\frac{4}{9} \times \frac{2}{9}$

$\frac{5}{8} \times \frac{4}{5}$

$\frac{7}{10} \times \frac{2}{5}$

$\frac{5}{6} \times \frac{5}{12}$

$\frac{3}{5} \times \frac{7}{18}$

1 빈칸에 알맞은 분수를 쓰세요. (단, 계산 결과는 기약분수로 나타냅니다.)

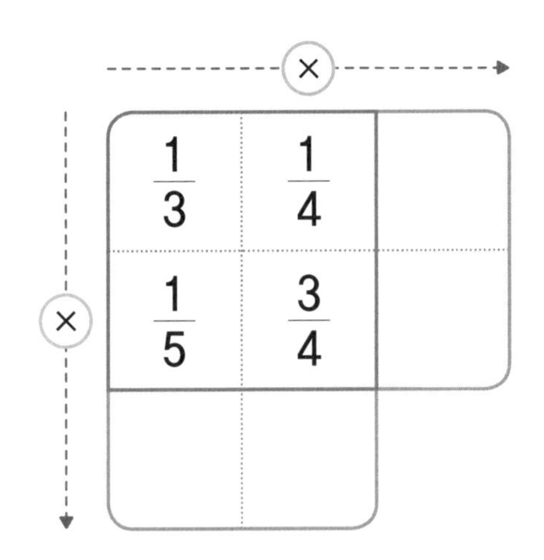

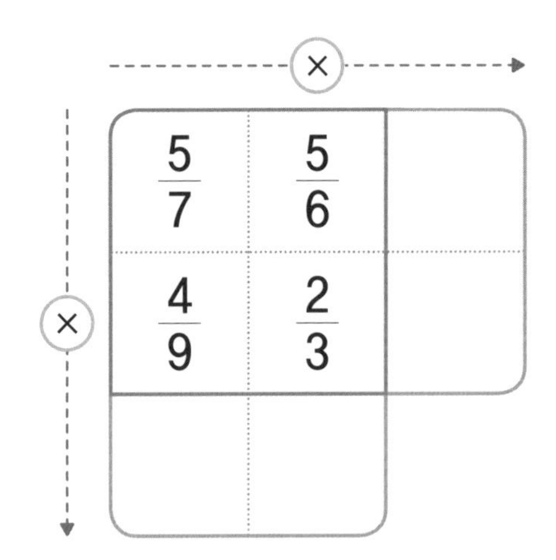

2 왼쪽 분수보다 계산 결과가 작은 것에 모두 ○표 하세요.

$\frac{3}{5}$	$\frac{3}{5}\times\frac{3}{4}$	$\frac{1}{2}\times\frac{3}{5}$	$\frac{3}{5}\times 4$	$\frac{2}{3}\times\frac{3}{5}$
$\frac{7}{10}$	$\frac{1}{3}\times\frac{7}{10}$	$5\times\frac{7}{10}$	$\frac{7}{10}\times\frac{5}{6}$	$\frac{7}{10}\times 3$

3 1보다 큰 자연수 중에서 □ 안에 들어갈 수 있는 수를 모두 쓰세요.

$\frac{1}{20}<\frac{1}{6}\times\frac{1}{\square}$

$\frac{1}{3}\times\frac{1}{\square}>\frac{1}{15}$

4 다음 수 카드 중 2장을 골라 분수의 곱셈식을 만들려고 합니다.

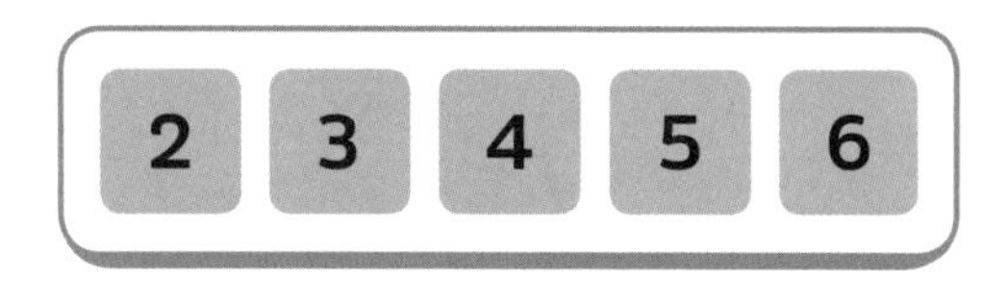

계산 결과가 가장 작은 식을 쓰고 계산하세요.

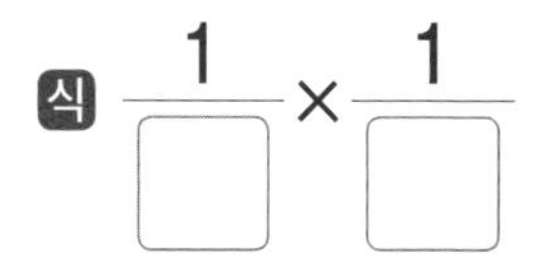

식 $\frac{1}{\square} \times \frac{1}{\square}$ 답 ________

계산 결과가 가장 큰 식을 쓰고 계산하세요.

식 $\frac{1}{\square} \times \frac{1}{\square}$ 답 ________

5 한 변이 1 m인 정사각형 종이를 가로와 세로를 각각 똑같이 나누었습니다. 색칠한 부분의 넓이는 얼마인가요? (단, 계산 결과는 기약분수로 나타냅니다.)

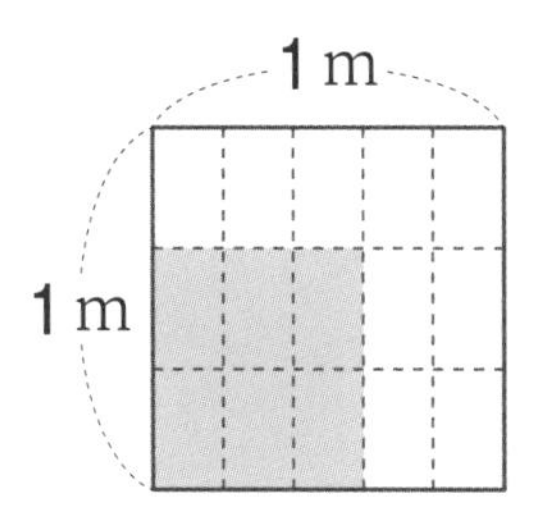

________ m^2

6 민호는 어제 책 한 권의 $\frac{1}{4}$만큼 읽었고, 오늘은 어제 읽고 난 나머지의 $\frac{1}{2}$만큼 읽었습니다. 민호가 오늘 읽은 책은 전체의 얼마인가요?

____

약분하여 분수의 곱셈하기

약분하여 곱셈하는 방법을 알아봅시다.

$$\frac{\overset{2}{\cancel{6}}}{5}\times\frac{4}{\underset{3}{\cancel{9}}}=\frac{8}{15}\qquad \frac{9}{\underset{2}{\cancel{10}}}\times\frac{\overset{1}{\cancel{5}}}{7}=\frac{9}{14}\qquad \frac{\overset{2}{\cancel{8}}}{\underset{3}{\cancel{15}}}\times\frac{\overset{1}{\cancel{5}}}{\underset{3}{\cancel{12}}}=\frac{2}{9}$$

먼저 약분한 후 분자는 분자끼리, 분모는 분모끼리 곱합니다.

$$\frac{\overset{\square}{\cancel{4}}}{7}\times\frac{3}{\underset{\square}{\cancel{4}}}=\frac{\square}{\square}\qquad \frac{2}{\underset{\square}{\cancel{5}}}\times\frac{\overset{\square}{\cancel{5}}}{13}=\frac{\square}{\square}$$

$$\frac{\overset{\square}{\cancel{3}}}{8}\times\frac{5}{\underset{\square}{\cancel{6}}}=\frac{\square}{\square}\qquad \frac{5}{\underset{\square}{\cancel{8}}}\times\frac{\overset{\square}{\cancel{6}}}{7}=\frac{\square}{\square}$$

$$\frac{\overset{\square}{\cancel{2}}}{\underset{\square}{\cancel{3}}}\times\frac{\overset{\square}{\cancel{9}}}{\underset{\square}{\cancel{10}}}=\frac{\square}{\square}\qquad \frac{\overset{\square}{\cancel{6}}}{\underset{\square}{\cancel{9}}}\times\frac{\overset{\square}{\cancel{6}}}{\underset{\square}{\cancel{9}}}=\frac{\square}{\square}$$

$\frac{2}{9}\times\frac{1}{2}$

$\frac{1}{12}\times\frac{3}{8}$

$\frac{3}{4}\times\frac{5}{6}$

$\frac{4}{9}\times\frac{3}{5}$

$\frac{2}{3}\times\frac{9}{14}$

$\frac{7}{9}\times\frac{1}{21}$

$\frac{5}{8}\times\frac{4}{7}$

$\frac{6}{7}\times\frac{14}{15}$

$\frac{8}{9}\times\frac{3}{8}$

$\frac{3}{7}\times\frac{7}{8}$

$\frac{2}{9}\times\frac{3}{8}$

$\frac{8}{11}\times\frac{7}{12}$

$\frac{7}{16}\times\frac{8}{9}$

$\frac{4}{15}\times\frac{9}{16}$

$\frac{9}{11}\times\frac{14}{15}$

$\frac{8}{21}\times\frac{7}{13}$

$\frac{7}{20}\times\frac{15}{28}$

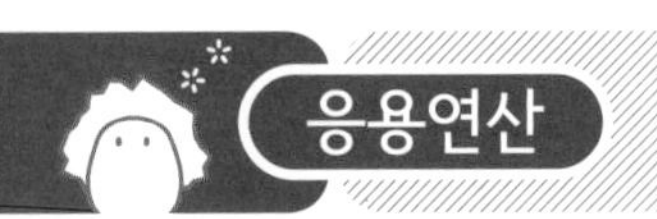

1 가로, 세로의 두 분수를 곱하여 빈칸에 쓰세요.

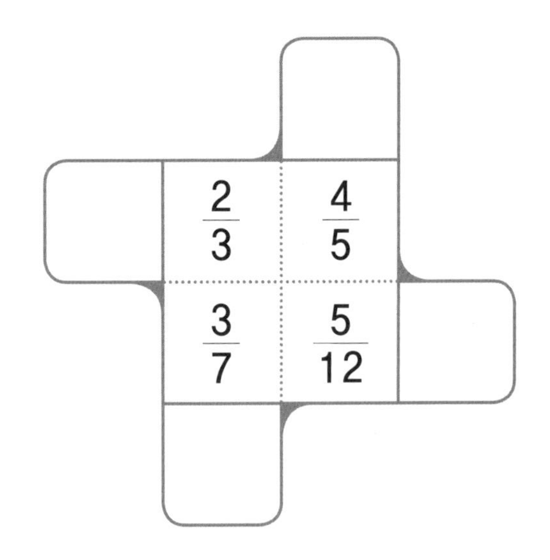

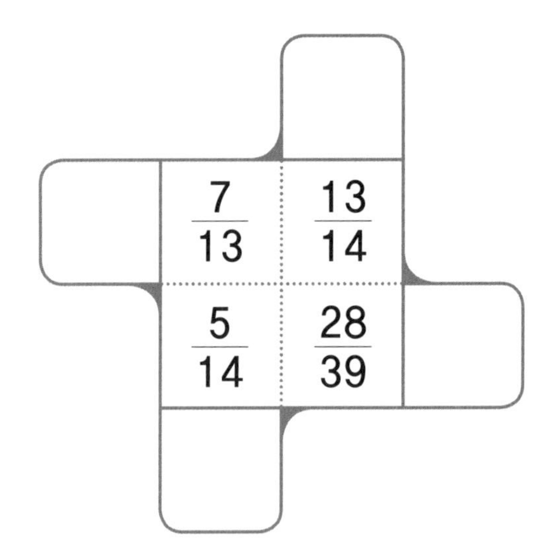

2 ○ 안에 >, =, <를 알맞게 넣으세요.

$\frac{3}{4}$ ○ $\frac{3}{4} \times \frac{5}{6}$

$\frac{4}{7} \times \frac{4}{7}$ ○ $\frac{4}{7}$

$\frac{8}{9}$ ○ $\frac{11}{12} \times \frac{8}{9}$

$\frac{22}{23} \times \frac{1}{2}$ ○ $\frac{22}{23}$

3 계산 결과가 같은 것끼리 선으로 이으세요.

$\frac{4}{7} \times \frac{21}{40}$	$\frac{5}{6} \times \frac{4}{7}$
$\frac{2}{3} \times \frac{5}{7}$	$\frac{6}{7} \times \frac{2}{9}$
$\frac{2}{7} \times \frac{2}{3}$	$\frac{1}{2} \times \frac{3}{5}$

4 주어진 분수 중 가장 작은 분수와 가장 큰 분수의 곱을 구하세요.

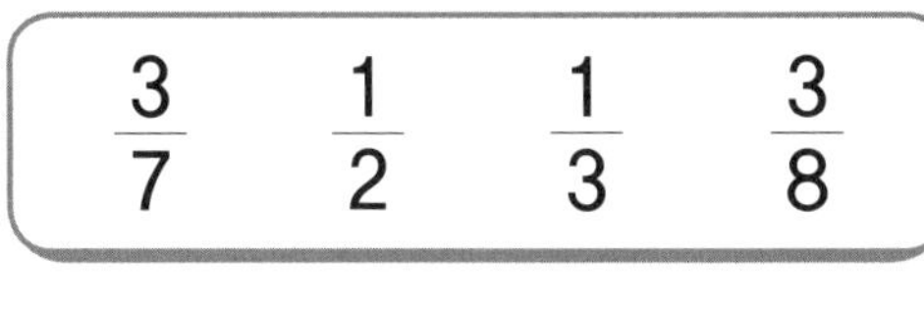

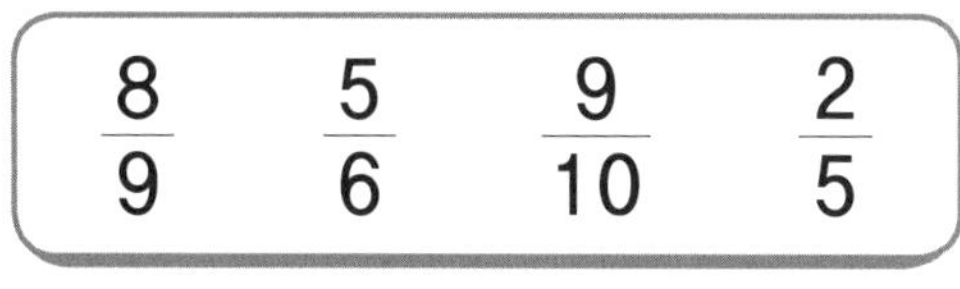

5 수지네 반 학생의 $\frac{3}{4}$은 여학생이고, 그중에서 $\frac{2}{9}$는 안경을 썼습니다. 수지네 반에서 안경을 쓴 여학생은 전체의 몇 분의 몇인가요?

6 어떤 물통에 물이 전체의 $\frac{5}{6}$만큼 들어 있었는데 민수가 $\frac{1}{3}$만큼 마셨습니다. 물통에 남은 물은 물통의 몇 분의 몇인지 구하세요.

대분수의 곱셈

개념원리

대분수의 곱셈을 알아봅시다.

$2\frac{2}{3}\times1\frac{2}{5}=\frac{\boxed{8}}{3}\times\frac{\boxed{7}}{5}=\frac{56}{\boxed{15}}=\boxed{3}\frac{\boxed{11}}{\boxed{15}}$

대분수를 가분수로 바꾸어 계산합니다.

$1\frac{3}{4}\times2\frac{3}{7}=\frac{\overset{\boxed{1}}{\cancel{\boxed{7}}}}{4}\times\frac{\boxed{17}}{\underset{\boxed{1}}{\cancel{7}}}=\frac{\boxed{17}}{4}=\boxed{4}\frac{\boxed{1}}{\boxed{4}}$

대분수를 가분수로 바꾼 후, 약분할 수 있으면 먼저 약분한 후 계산합니다.

$1\frac{3}{5}\times1\frac{1}{3}=\frac{\square}{5}\times\frac{\square}{3}=\frac{\square}{15}=\square\frac{\square}{\square}$

$3\frac{1}{2}\times2\frac{1}{7}=\frac{\overset{\square}{\cancel{\square}}}{2}\times\frac{\square}{\underset{\square}{\cancel{7}}}=\frac{\square}{2}=\square\frac{\square}{\square}$

$2\frac{4}{5}\times1\frac{7}{8}=\frac{\overset{\square}{\cancel{\square}}}{\underset{\square}{\cancel{5}}}\times\frac{\overset{\square}{\cancel{\square}}}{\underset{\square}{\cancel{8}}}=\frac{\square}{4}=\square\frac{\square}{\square}$

$1\frac{2}{5}\times\frac{1}{5}$

$\frac{5}{6}\times3\frac{1}{2}$

$3\frac{1}{4}\times\frac{7}{13}$

$\frac{5}{8}\times5\frac{1}{3}$

$\frac{5}{16}\times2\frac{2}{15}$

$5\frac{3}{5}\times\frac{4}{7}$

$1\frac{4}{5}\times1\frac{7}{8}$

$1\frac{1}{14}\times1\frac{2}{5}$

$1\frac{1}{8}\times1\frac{5}{9}$

$1\frac{1}{15}\times2\frac{5}{8}$

$3\frac{3}{4}\times1\frac{3}{5}$

$3\frac{3}{8}\times6\frac{2}{3}$

1 5보다 크면 위쪽, 5보다 작으면 오른쪽으로 가는 길을 그리세요.

$2\frac{4}{5}\times1\frac{3}{4}$	$3\frac{3}{8}\times2\frac{2}{9}$	$2\frac{2}{5}\times1\frac{5}{6}$
$1\frac{1}{6}\times3\frac{6}{7}$	$2\frac{1}{7}\times2\frac{1}{5}$	$3\times2\frac{1}{3}$
$3\frac{1}{5}\times1\frac{7}{8}$	$2\frac{3}{4}\times6$	$2\frac{2}{3}\times2\frac{1}{2}$

2 ○ 안에 >, =, <를 알맞게 넣으세요.

$\frac{4}{5}$ ○ $\frac{4}{5}\times1\frac{1}{2}$

$1\frac{1}{4}\times\frac{2}{3}$ ○ $1\frac{1}{4}$

$\frac{6}{7}$ ○ $\frac{9}{8}\times\frac{6}{7}$

$\frac{5}{8}\times2\frac{1}{5}$ ○ $\frac{5}{8}$

3 □ 안에 알맞은 수를 쓰세요.

$1\frac{3}{5}\times\frac{\square}{8}=2$

$3\frac{1}{2}\times\frac{2}{\square}=\frac{1}{3}$

$2\frac{1}{4}\times\frac{4}{\square}=\frac{1}{5}$

$\frac{9}{\square}\times3\frac{2}{3}=1\frac{1}{2}$

4 수 카드 3장을 각각 한 번씩 사용하여 만들 수 있는 가장 큰 대분수와 가장 작은 대분수의 곱을 구하세요.

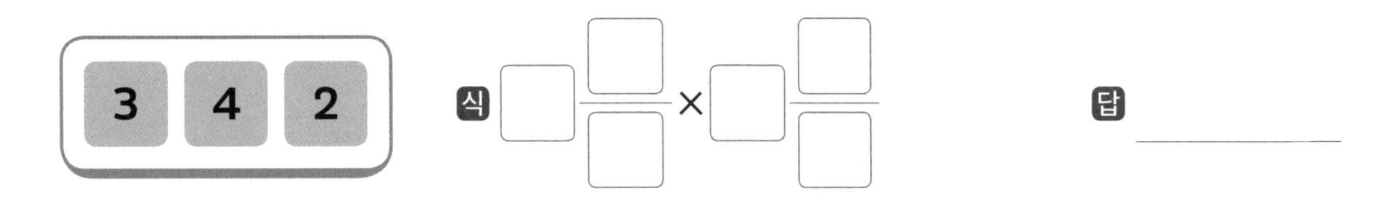

5 직사각형 **가**와 정사각형 **나** 중에서 어느 것이 더 넓나요?

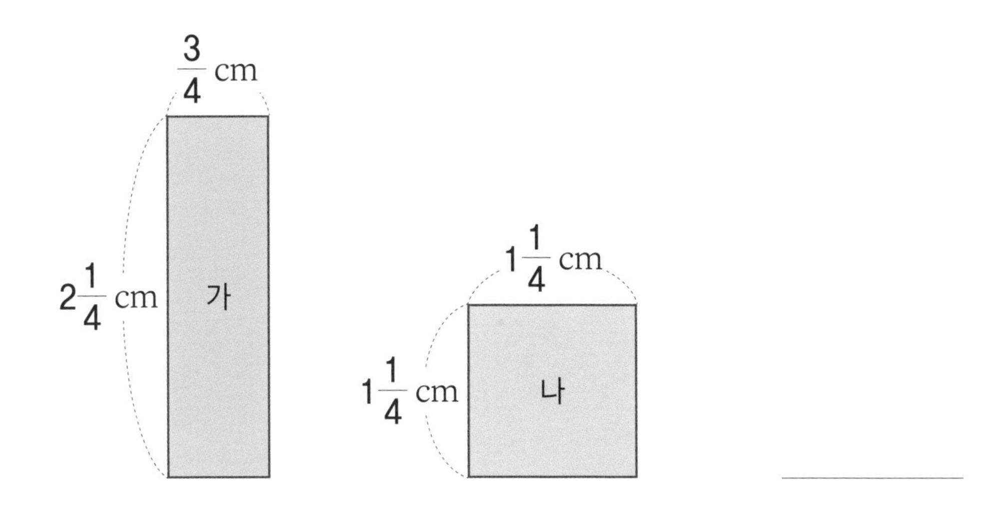

6 민지는 한 시간에 $4\frac{1}{5}$ km를 걷습니다. 같은 빠르기로 걷는다면 $2\frac{4}{7}$시간 동안 몇 km를 걸을 수 있나요?

식 ______________ 답 ________ km

세 분수의 곱셈

개념원리

세 분수의 곱셈을 알아봅시다.

$$\frac{\overset{1}{\cancel{5}}}{\underset{2}{\cancel{6}}}\times\frac{7}{\underset{3}{\cancel{15}}}\times\frac{\overset{1}{\cancel{3}}}{8}=\frac{\boxed{1}\times 7\times\boxed{1}}{\boxed{2}\times\boxed{3}\times 8}=\frac{\boxed{7}}{\boxed{48}}$$

먼저 약분한 후 분자는 분자끼리, 분모는 분모끼리 모두 곱합니다.

$$1\frac{1}{3}\times 9\times\frac{7}{10}=\frac{\overset{2}{\cancel{\boxed{4}}}}{\underset{1}{\cancel{3}}}\times\frac{\overset{3}{\cancel{9}}}{1}\times\frac{7}{\underset{5}{\cancel{10}}}$$

$$=\frac{\boxed{2}\times\boxed{3}\times 7}{\boxed{1}\times 1\times\boxed{5}}=\frac{\boxed{42}}{\boxed{5}}=\boxed{8}\frac{\boxed{2}}{\boxed{5}}$$

대분수는 가분수로 고쳐 계산합니다. 자연수 9는 $\frac{9}{1}$와 같이 생각하여 분자에 곱합니다.

$$\frac{1}{\underset{\square}{\cancel{3}}}\times\frac{\overset{\square}{\cancel{5}}}{8}\times\frac{\overset{\square}{\cancel{9}}}{\underset{\square}{\cancel{20}}}=\frac{1\times\square\times\square}{\square\times 8\times\square}=\frac{\square}{\square}$$

$$8\times\frac{13}{21}\times 1\frac{3}{4}=\frac{\overset{\square}{\cancel{8}}}{1}\times\frac{13}{\underset{\square}{\cancel{21}}}\times\frac{\overset{\square}{\cancel{\square}}}{\underset{\square}{\cancel{4}}}$$

$$=\frac{\square\times 13\times\square}{1\times\square\times\square}=\frac{\square}{\square}=\square\frac{\square}{\square}$$

$\frac{2}{3} \times \frac{5}{8} \times \frac{3}{10}$

$\frac{2}{7} \times \frac{3}{5} \times \frac{3}{4}$

$\frac{5}{8} \times \frac{9}{10} \times \frac{5}{12}$

$\frac{5}{6} \times \frac{3}{8} \times \frac{3}{8}$

$\frac{2}{9} \times 7 \times \frac{3}{11}$

$\frac{3}{5} \times \frac{5}{7} \times 5$

$1\frac{1}{5} \times \frac{2}{3} \times \frac{3}{4}$

$\frac{4}{7} \times \frac{7}{8} \times 1\frac{3}{4}$

$1\frac{1}{2} \times 2 \times \frac{1}{3}$

$6 \times \frac{5}{12} \times 1\frac{1}{3}$

$2\frac{2}{7} \times 1\frac{5}{6} \times \frac{3}{8}$

$2\frac{2}{5} \times 3 \times 3\frac{2}{3}$

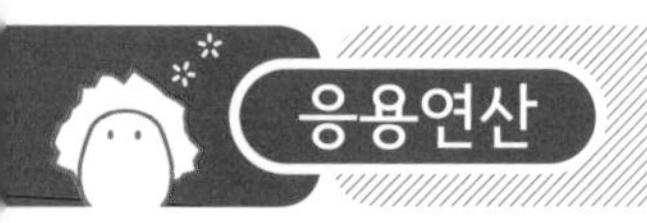

1 □ 안에 알맞은 수를 쓰세요. (단, 분수는 기약분수로 나타냅니다.)

$$\frac{1}{6}\times\frac{4}{5}\times\frac{3}{8}=(\frac{1}{6}\times\frac{4}{5})\times\frac{3}{8}=\frac{\square}{\square}\times\frac{3}{8}=\square$$

$$\frac{1}{6}\times\frac{4}{5}\times\frac{3}{8}=\frac{1}{6}\times(\frac{4}{5}\times\frac{3}{8})=\frac{1}{6}\times\frac{\square}{\square}=\square$$

2 계산 결과가 큰 것부터 차례로 기호를 쓰세요.

㉠ $\frac{5}{6}$

㉡ $\frac{5}{6}\times\frac{2}{3}$

㉢ $\frac{5}{6}\times\frac{2}{3}\times\frac{9}{10}$

㉣ $\frac{5}{6}\times1\frac{1}{4}$

㉤ $\frac{5}{6}\times1\frac{1}{4}\times2\frac{2}{3}$

□ – □ – □ – □ – □

3 관계있는 것끼리 선으로 이으세요.

$1\frac{5}{7}\times4\frac{2}{3}\times\frac{5}{8}$	$\frac{7}{12}\times2\frac{1}{2}\times1\frac{3}{5}$	$1\frac{3}{7}\times3\frac{1}{2}\times\frac{4}{9}$

4	$2\frac{2}{9}$	5	$2\frac{1}{9}$	$2\frac{1}{3}$

4 1보다 큰 자연수 중에서 □ 안에 들어갈 수 있는 수를 모두 쓰세요.

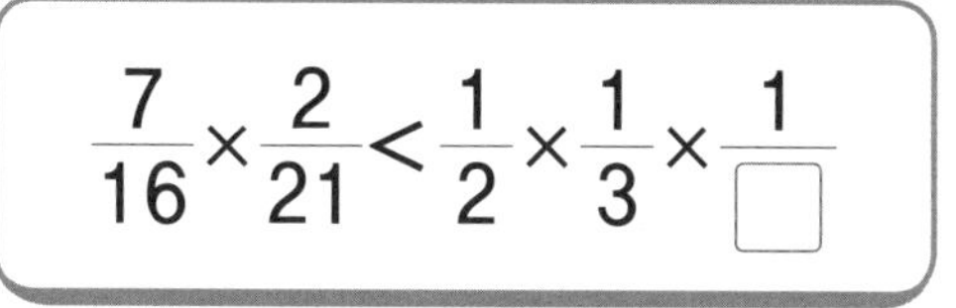

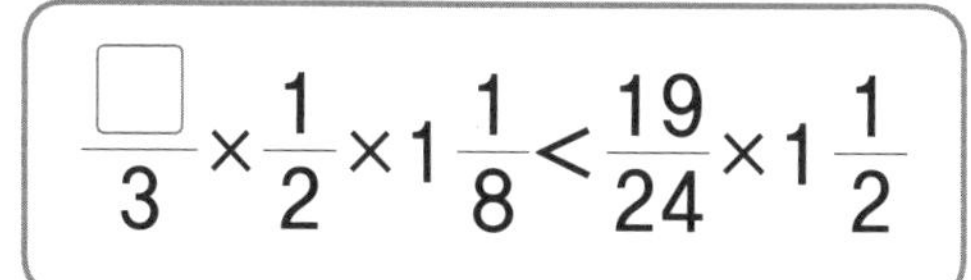

5 수 카드를 한 번씩만 사용하여 3개의 진분수를 만들어 곱할 때, 계산 결과가 가장 작은 곱셈식을 쓰고 계산하세요.

식  답 

6 승희는 하루 24시간 중 $\frac{1}{6}$을 공부를 하고, 그중 $\frac{3}{8}$은 수학을 공부합니다. 승희가 하루에 수학 공부를 하는 시간은 몇 시간인가요?

식 ______ 답 ______ 시간

형성평가

1 바르게 계산한 학생의 이름을 쓰세요.

진우: $\frac{2}{3}\times4=\frac{2\times4}{3\times4}=\frac{8}{12}=\frac{2}{3}$

수영: $\frac{2}{3}\times4=\frac{2}{3\times4}=\frac{2}{12}=\frac{1}{6}$

하늘: $\frac{2}{3}\times4=\frac{2\times4}{3}=\frac{8}{3}=2\frac{2}{3}$

2 빈칸에 알맞은 분수를 쓰세요.

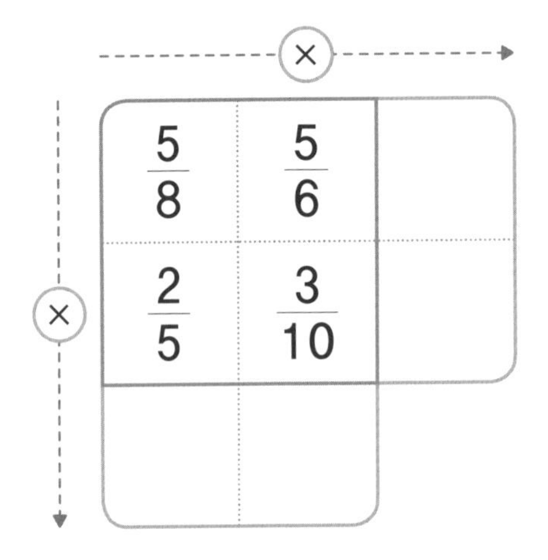

3 수 카드 5장 중 2장을 골라 분자가 1인 분수의 곱셈식을 만들려고 합니다. 계산 결과가 가장 작은 식과 가장 큰 식을 쓰고 계산하세요.

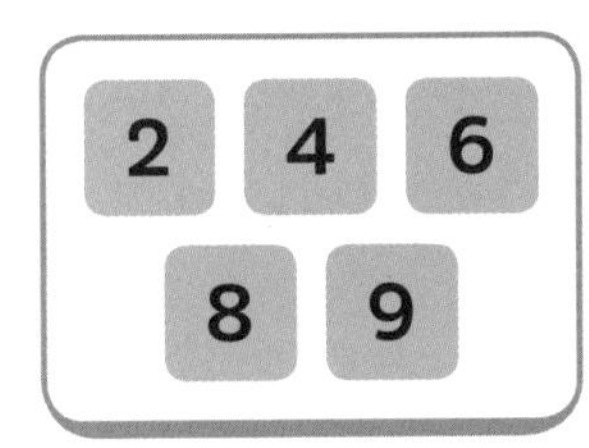

가장 작은 식: 식 $\frac{1}{\square}\times\frac{1}{\square}$ 답

가장 큰 식: 식 $\frac{1}{\square}\times\frac{1}{\square}$ 답

4 정우네 반 학생의 $\frac{2}{5}$는 남학생이고, 그중에서 $\frac{3}{4}$은 축구를 좋아합니다. 정우네 반에서 축구를 좋아하는 남학생은 전체의 몇 분의 몇인가요?

5 □ 안에 알맞은 수를 쓰세요.

$1\frac{1}{3} \times \frac{1}{\square} = \frac{1}{3}$

$2\frac{2}{5} \times \frac{\square}{6} = 2$

$\frac{\square}{7} \times 1\frac{2}{5} = 1$

$\frac{2}{\square} \times 3\frac{3}{4} = 2\frac{1}{2}$

6 정사각형 **가**와 직사각형 **나** 중에서 어느 것이 더 넓나요?

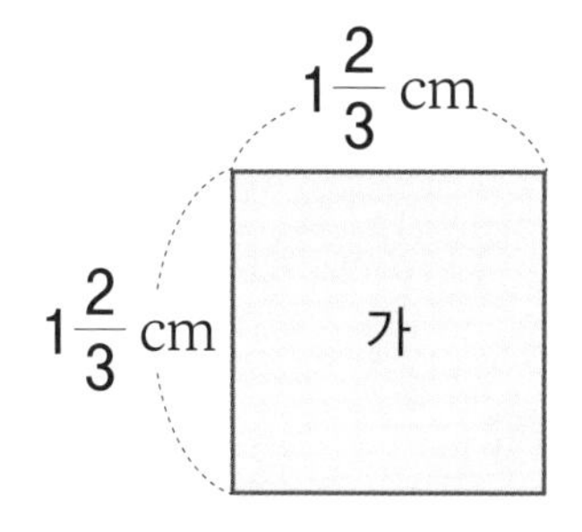

$3\frac{2}{3}$ cm

$\frac{2}{3}$ cm

나

7 □ 안에 알맞은 수를 쓰세요. (단, 분수는 기약분수로 나타냅니다.)

$$\frac{3}{5}\times\frac{4}{9}\times\frac{5}{12}=(\frac{3}{5}\times\frac{4}{9})\times\frac{5}{12}=\frac{\square}{\square}\times\frac{5}{12}=\square$$

$$\frac{3}{5}\times\frac{4}{9}\times\frac{5}{12}=\frac{3}{5}\times(\frac{4}{9}\times\frac{5}{12})=\frac{3}{5}\times\frac{\square}{\square}=\square$$

$$\frac{3}{5}\times\frac{4}{9}\times\frac{5}{12}=\frac{3\times4\times5}{5\times9\times12}=\square$$

8 계산 결과가 큰 것부터 차례로 기호를 쓰세요.

㉠ $\frac{3}{4}\times1\frac{1}{7}$ ㉡ $\frac{3}{4}$ ㉢ $\frac{3}{4}\times\frac{5}{6}$

㉣ $\frac{3}{4}\times1\frac{1}{7}\times1\frac{2}{5}$ ㉤ $\frac{3}{4}\times\frac{5}{6}\times\frac{4}{5}$

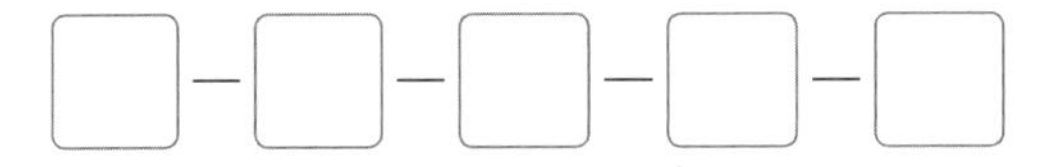

9 민혁이는 오늘 하루 24시간 중 $\frac{1}{4}$을 공부를 했고, 그중 $\frac{3}{10}$은 영어 공부를 하였습니다. 민혁이가 오늘 하루 영어 공부를 한 시간은 몇 시간인가요?

식 __________  답 ______ 시간

분수와 소수

분수와 소수를 바꾸어 나타내고, 크기 비교하기

1일 409 • 분수와 소수의 관계 ········ 46

2일 410 • 분수를 소수로 나타내기 ········ 50

3일 411 • 소수를 분수로 나타내기 ········ 54

4일 412 • 분수와 소수의 크기 비교 ········ 58

5일 형성평가 ········ 62

분수와 소수의 관계

개념 원리

수 막대를 보고 분수는 소수로, 소수는 분수로 나타내어 봅시다.

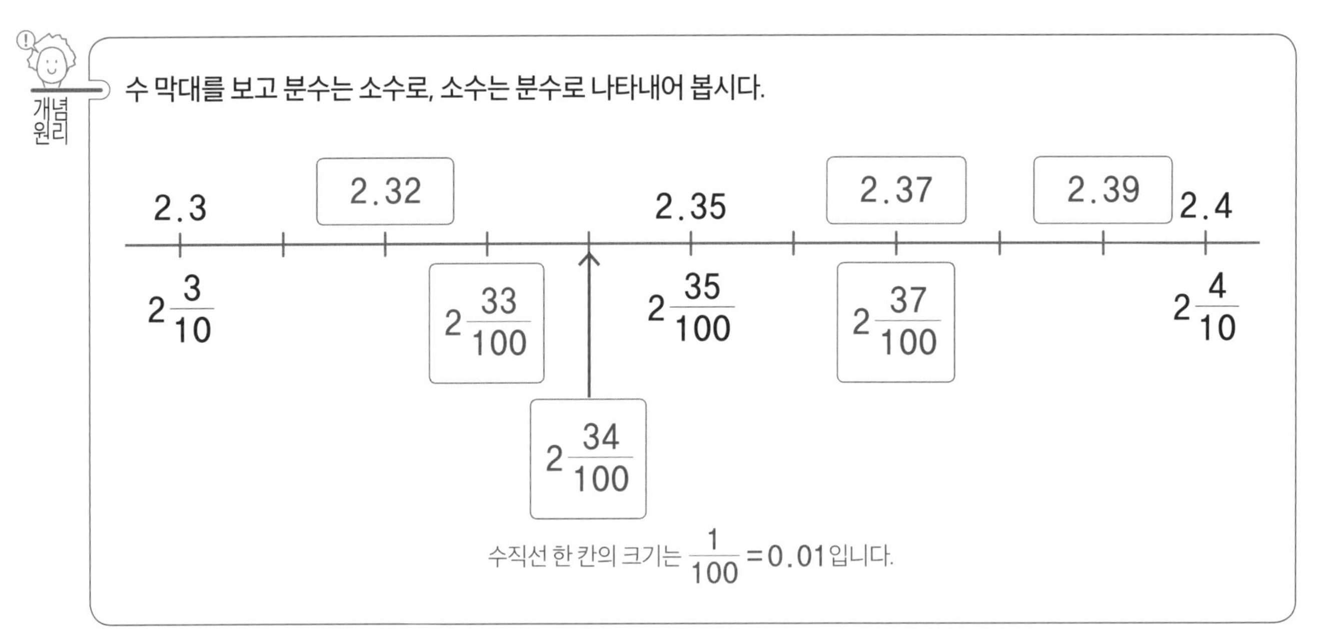

수직선 한 칸의 크기는 $\frac{1}{100}$ = 0.01입니다.

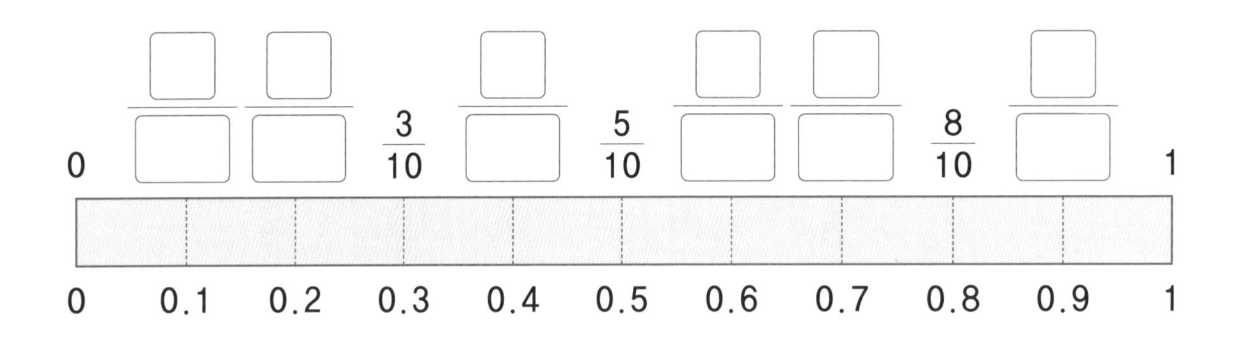

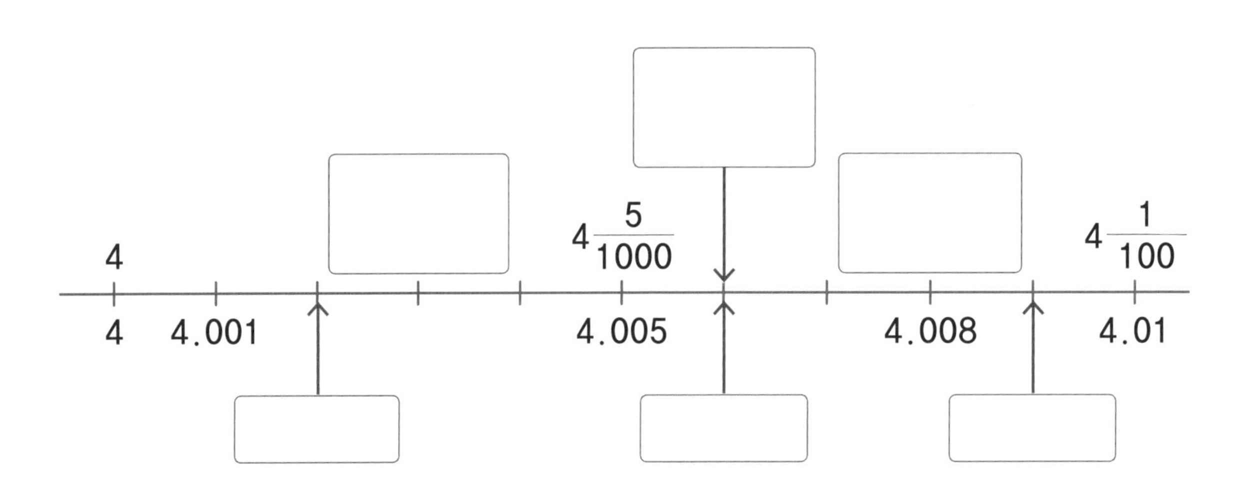

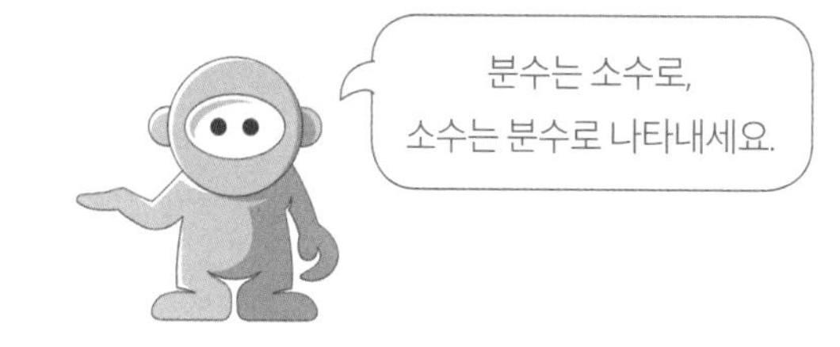

$\frac{9}{10}$

0.7

3.7

$1\frac{3}{10}$

9.9

$\frac{21}{100}$

0.27

$\frac{9}{100}$

1.53

$2\frac{59}{100}$

3.07

$\frac{31}{1000}$

0.129

$4\frac{3}{1000}$

1.001

$3\frac{401}{1000}$

8.057

1 그림을 보고 □ 안에 알맞은 분수나 소수를 쓰세요.

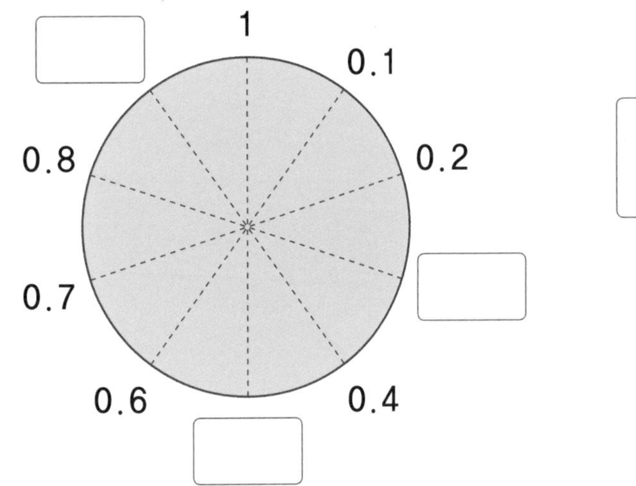

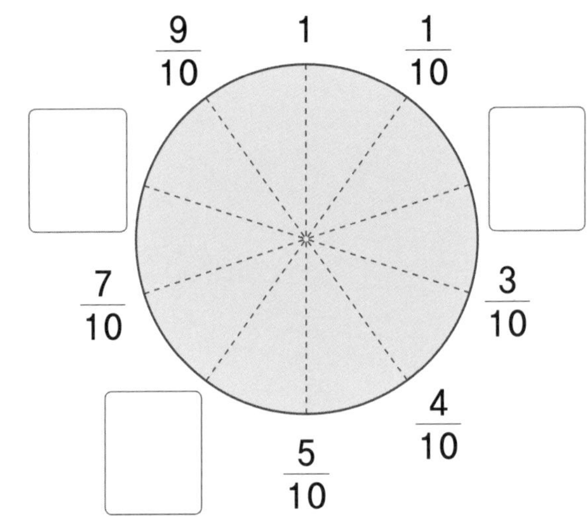

2 수 막대를 보고 □ 안에 알맞은 분수나 소수를 쓰세요.

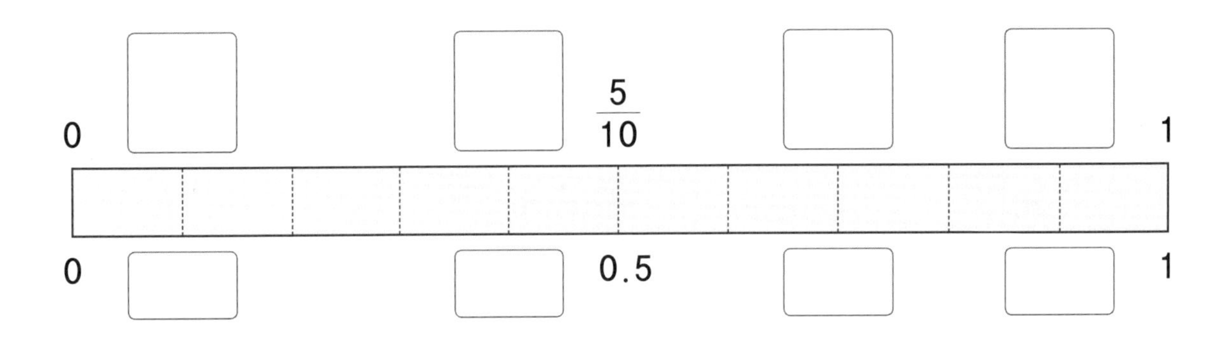

3 수직선을 보고 □ 안에 알맞은 분수나 소수를 쓰세요.

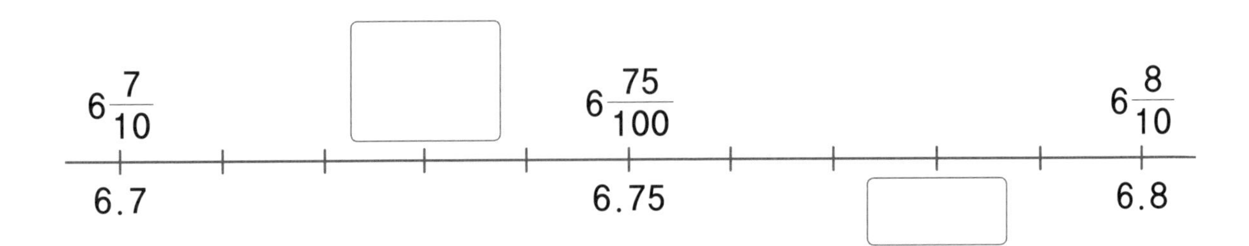

4 모눈종이의 전체 크기를 1 이라고 할 때, 색칠한 부분을 보고 분수는 소수로, 소수는 분수로 나타내세요.

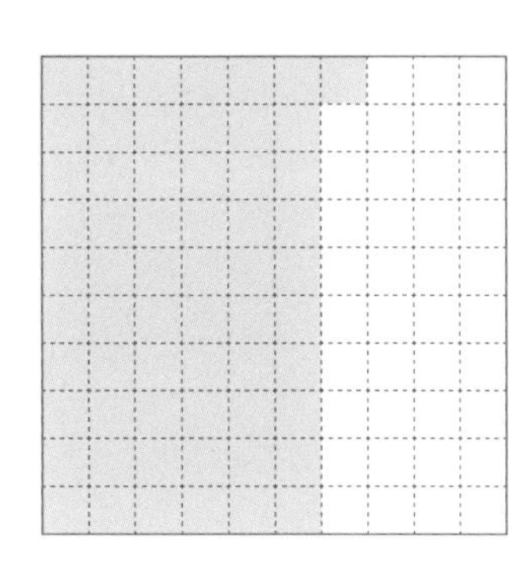

$\frac{61}{100}$ = □

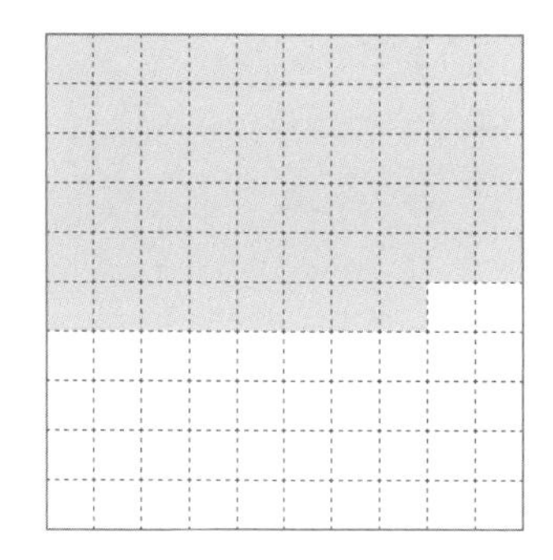

0.58 = □

5 $\frac{1}{10}$ 이 3개, $\frac{1}{100}$ 이 2개, $\frac{1}{1000}$ 이 7개인 수를 소수로 나타내세요.

______

6 분수와 소수를 규칙에 따라 늘어놓았습니다. 빈 곳에 알맞은 수를 쓰세요.

0.5 — $\frac{7}{10}$ —  0.9 — $1\frac{1}{10}$ — 1.3 — □

 $\frac{24}{100}$ — 0.36 —  $\frac{48}{100}$ — 0.6 — $\frac{72}{100}$ — □

0.005 — $\frac{1}{100}$ — 0.015 — $\frac{2}{100}$ — 0.025 — □

분수를 소수로 나타내기

분수를 소수로 나타냅니다.

$$\frac{1}{5}=\frac{1\times\boxed{2}}{5\times\boxed{2}}=\frac{\boxed{2}}{10}=\boxed{0.2}$$

$$\frac{3}{4}=\frac{3\times\boxed{25}}{4\times\boxed{25}}=\frac{\boxed{75}}{\boxed{100}}=\boxed{0.75}$$

$$2\frac{14}{125}=2+\frac{14}{125}=2+\frac{14\times\boxed{8}}{125\times\boxed{8}}=2+\frac{\boxed{112}}{\boxed{1000}}=\boxed{2.112}$$

분수를 소수로 나타낼 때에는 분모를 10, 100, 1000, ……인 분수로 고친 뒤 소수로 나타냅니다.

$$\frac{1}{2}=\frac{1\times\square}{2\times\square}=\frac{\square}{10}=\square$$

$$\frac{3}{25}=\frac{3\times\square}{25\times\square}=\frac{\square}{\square}=\square$$

$$\frac{3}{5}=\frac{3\times\square}{5\times\square}=\frac{\square}{10}=\square$$

$$\frac{7}{20}=\frac{7\times\square}{20\times\square}=\frac{\square}{\square}=\square$$

$$3\frac{27}{50}=3+\frac{27}{50}=3+\frac{27\times\square}{50\times\square}=3+\frac{\square}{\square}=\square$$

$\frac{1}{2}$

$\frac{4}{5}$

$\frac{1}{4}$

$\frac{7}{25}$

$\frac{9}{50}$

$\frac{1}{8}$

$\frac{1}{200}$

$\frac{1}{125}$

$3\frac{1}{2}$

$2\frac{2}{5}$

$5\frac{4}{5}$

$3\frac{3}{4}$

$2\frac{9}{20}$

$9\frac{11}{25}$

$1\frac{7}{8}$

$3\frac{19}{250}$

$2\frac{11}{125}$

1 분수와 소수가 서로 같은 것끼리 선으로 이으세요.

$\frac{1}{4}$	$\frac{13}{20}$	$\frac{7}{25}$	$\frac{8}{50}$

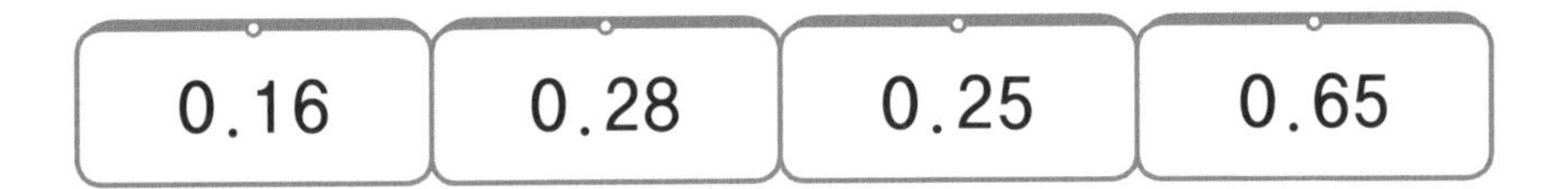

2 소수로 고칠 때 나누어떨어져서 간단한 소수로 나타낼 수 있는 분수에 모두 ○표 하세요.

$\frac{1}{2}$ $\frac{1}{3}$ $\frac{1}{4}$ $\frac{1}{5}$ $\frac{1}{6}$ $\frac{1}{7}$ $\frac{1}{8}$ $\frac{1}{9}$

3 분모와 분자에 같은 수를 곱하여 분모가 10 또는 100인 분수로 고칠 수 있는 분수에 모두 ○표 하세요.

$\frac{1}{2}$ $\frac{2}{3}$ $\frac{3}{5}$ $\frac{5}{6}$ $\frac{3}{8}$

4 분수를 소수로 고치는 과정입니다. 틀린 곳을 찾아 바르게 계산하세요.

$$4\frac{21}{50}=4+\frac{21}{50}=4+\frac{21\times3}{50\times2}=4+\frac{63}{100}=4.63$$

5 수 카드 6장 중 3장을 한 번씩 사용하여 소수로 고칠 수 있는 가장 큰 분수를 만들려고 합니다. 2장으로는 분모를 만들고 나머지 한 장으로는 분자를 만들 때 가장 큰 분수를 소수로 나타내세요.

6 민수는 선물을 포장하는 데에 3 m짜리 끈의 $\frac{1}{5}$을 사용했습니다. 남은 끈은 몇 m인지 소수로 나타내세요.

m

소수를 분수로 나타내기

개념원리

소수를 분수로 나타내어 봅시다.

$0.2=\frac{2}{10}=\frac{1}{5}$

$0.24=\frac{24}{100}=\frac{6}{25}$

$6.42=6\frac{42}{100}=6\frac{21}{50}$

$2.125=2\frac{125}{1000}=\frac{1}{8}$

소수를 분수로 나타낼 때에는 분모를 10, 100, 1000, ……인 분수로 고친 뒤 약분하여 기약분수로 나타냅니다.

$0.6=\frac{\square}{10}=\frac{\square}{\square}$

$3.2=\square\frac{\square}{10}=\square\frac{\square}{\square}$

$0.35=\frac{\square}{100}=\frac{\square}{\square}$

$4.28=\square\frac{\square}{100}=\square\frac{\square}{\square}$

$0.725=\frac{\square}{1000}=\frac{\square}{\square}$

$3.025=\square\frac{\square}{1000}=\square\frac{\square}{\square}$

0.4

0.5

1.6

3.8

9.4

0.25

0.38

0.48

1.98

3.02

4.75

0.422

0.035

0.008

5.005

7.016

3.175

1 소수와 분수가 서로 같은 것끼리 선으로 이으세요.

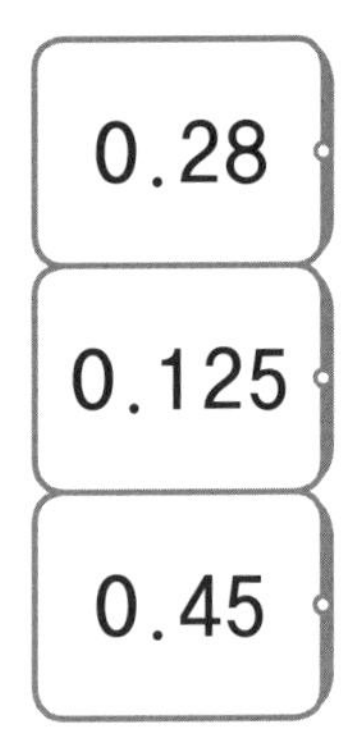

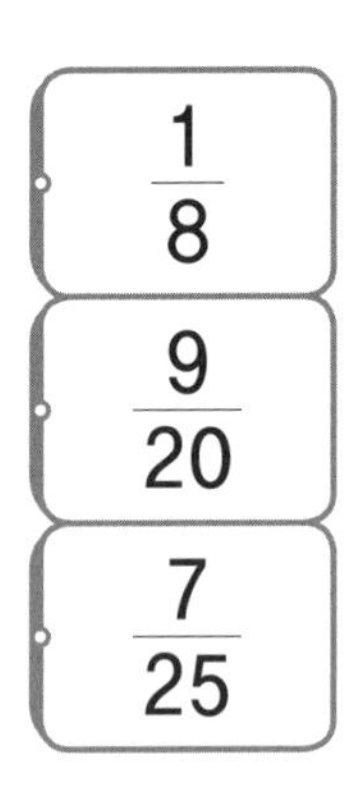

2 기약분수로 나타냈을 때 분모가 같은 소수를 찾아 기호를 쓰세요.

㉠ 0.8 ㉡ 0.36 ㉢ 0.54
㉣ 0.16 ㉤ 0.07

____

3 조건을 만족하는 분수를 구하세요.

- 분모는 1000입니다.
- 3.25와 크기가 같습니다.

____

- 소수로 고치면 1.006이 됩니다.
- 기약분수로 나타내면 분자가 3이 됩니다.

____

4 5장의 카드를 한 번씩 모두 사용하여 조건에 맞는 소수를 만들고 기약분수로 나타내세요.

0	3
8	6
.	

- 4보다 크고 8보다 작습니다.
- 이 소수를 100배 하면 소수 첫째 자리 숫자는 8이 됩니다.
- 소수 둘째 자리 숫자는 소수 첫째 자리 숫자보다 큽니다.

소수: ________

분수: ________

5 ㉠, ㉡, ㉢ 3개의 돌이 있습니다. ㉠의 무게는 2 kg이고, ㉡의 무게는 ㉠의 무게의 0.6배, ㉢의 무게는 ㉠의 무게의 1.2배입니다. ㉡과 ㉢의 무게는 각각 몇 kg인지 구하고 기약분수로 나타내세요.

㉡: ________ kg, ㉢: ________ kg

6 소희는 모빌을 만드는 데 1 m에 0.15 kg인 끈을 0.4 m 사용하였습니다. 소희가 사용한 끈의 무게는 몇 kg인지 구하고 기약분수로 나타내세요.

________ kg

분수와 소수의 크기 비교

분수와 소수의 크기를 비교하는 방법을 알아봅시다.

$1.5 \bigcirc 1\frac{1}{5}$ → $1.5 > \boxed{1.2}$

분수를 소수로 고쳐 소수끼리 비교합니다.

$0.64 \bigcirc \frac{71}{100}$ → $\frac{\boxed{64}}{100} < \frac{71}{100}$

소수를 분수로 고쳐 분수끼리 비교합니다.

$0.9 \bigcirc \frac{4}{5}$ → $0.9 \bigcirc \square$

$2.4 \bigcirc 2\frac{4}{7}$ → $2\frac{\square}{10} \bigcirc 2\frac{4}{7}$

$1.61 \bigcirc 1\frac{5}{8}$ → $1.61 \bigcirc \square$

$0.09 \bigcirc \frac{23}{300}$ → $\frac{\square}{300} \bigcirc \frac{23}{300}$

$0.5 \bigcirc \frac{1}{5}$　　$\frac{1}{2} \bigcirc 0.3$　　$0.7 \bigcirc \frac{7}{8}$

$1\frac{9}{10} \bigcirc 1.88$　　$1\frac{3}{5} \bigcirc 1.7$　　$1\frac{1}{2} \bigcirc 1.2$

$0.15 \bigcirc \frac{7}{50}$　　$\frac{51}{100} \bigcirc 0.57$　　$0.23 \bigcirc \frac{6}{25}$

$1\frac{24}{25} \bigcirc 1.96$　　$1.71 \bigcirc 1\frac{7}{20}$　　$5\frac{9}{50} \bigcirc 5.19$

$0.127 \bigcirc \frac{1}{8}$　　$0.445 \bigcirc \frac{111}{250}$　　$0.251 \bigcirc \frac{127}{500}$

$1\frac{3}{8} \bigcirc 1.803$　　$3.036 \bigcirc 3\frac{9}{200}$　　$2\frac{7}{8} \bigcirc 2.725$

1 분수와 소수의 크기를 비교하여 큰 수부터 차례로 쓰세요.

$1.2 \qquad \frac{8}{10} \qquad 0.7 \qquad 1\frac{2}{5}$

____

2 4.35보다 큰 분수를 모두 찾아 ◯표 하세요.

$4\frac{3}{10} \qquad 4\frac{3}{5} \qquad 4\frac{7}{20} \qquad 5\frac{1}{8} \qquad 4\frac{6}{25}$

3 □ 안에 알맞은 수를 쓰세요.

$$15<\square\frac{\square}{2}<\square\frac{\square}{8}<15.75$$

4 □ 안에 들어갈 수 있는 자연수를 모두 쓰세요.

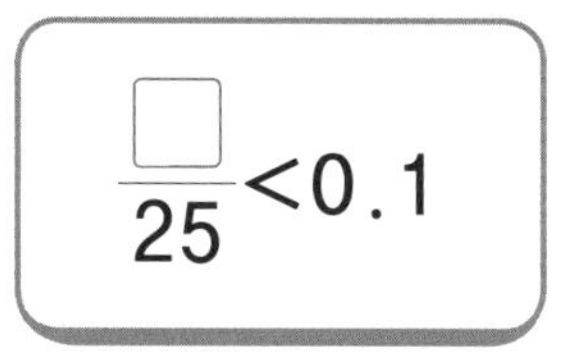

____

5 2.91보다 크고 3보다 작은 분모가 100인 분수는 모두 몇 개인가요?

______ 개

6 승희는 1 L짜리 우유의 0.6 L를 마셨고, 호영이는 2 L짜리 우유의 $\frac{3}{5}$을 마셨습니다. 우유가 더 많이 남은 사람은 누구인가요?

____

형성평가

1 수 막대를 보고 □ 안에 알맞은 분수나 소수를 쓰세요.

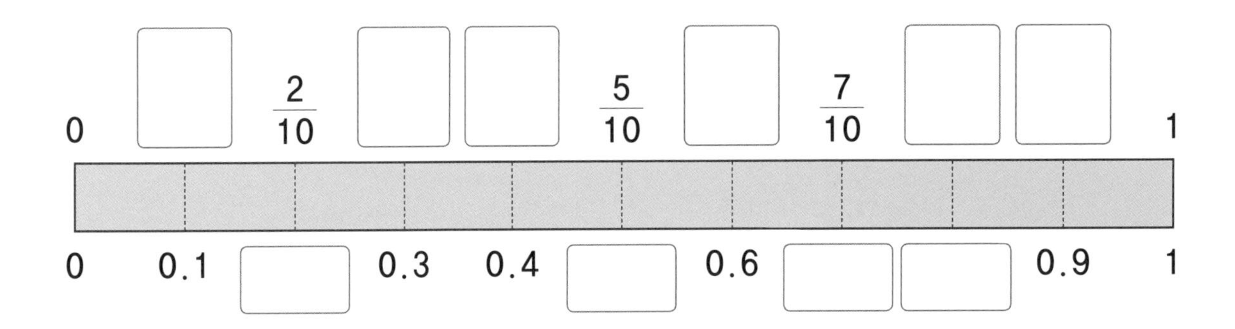

2 대분수를 분모가 10인 분수로 고치고 소수로 나타내세요.

$$3\frac{1}{2}=3+\frac{1}{2}=3+\frac{1\times\square}{2\times\square}=3+\frac{\square}{\square}=\square$$

$$8\frac{3}{5}=8+\frac{3}{5}=8+\frac{3\times\square}{5\times\square}=8+\frac{\square}{\square}=\square$$

3 분수와 소수가 서로 같은 것끼리 선으로 이으세요.

$1\frac{13}{50}$	$1\frac{6}{25}$	$1\frac{7}{20}$	$1\frac{3}{4}$
1.24	1.75	1.26	1.35

4 분수와 소수를 규칙에 따라 늘어놓았습니다. 빈 곳에 알맞은 수를 쓰세요.

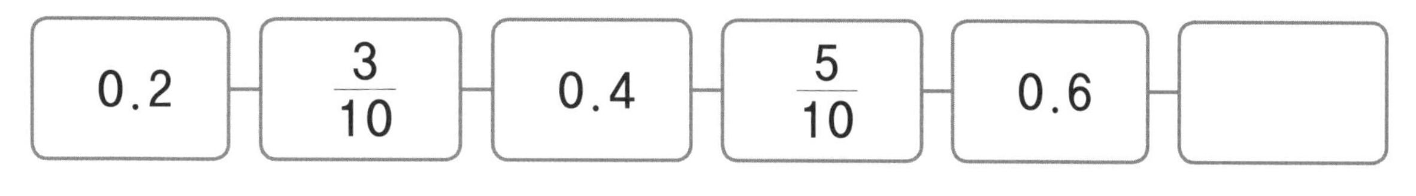

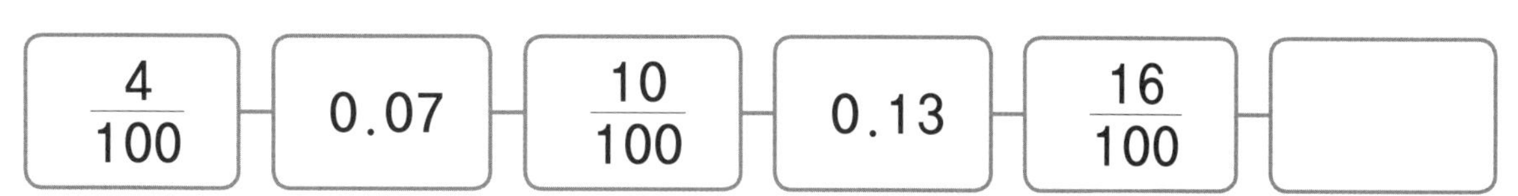

5 ○ 안에 >, =, <를 알맞게 넣으세요.

$0.5 \bigcirc \frac{1}{4}$　　　　$\frac{3}{8} \bigcirc 0.369$

$\frac{1}{8} \bigcirc 0.125$　　　　$0.21 \bigcirc \frac{6}{25}$

6 5장의 카드를 한 번씩 모두 사용하여 조건에 맞는 수를 만들고 기약분수로 나타내세요.

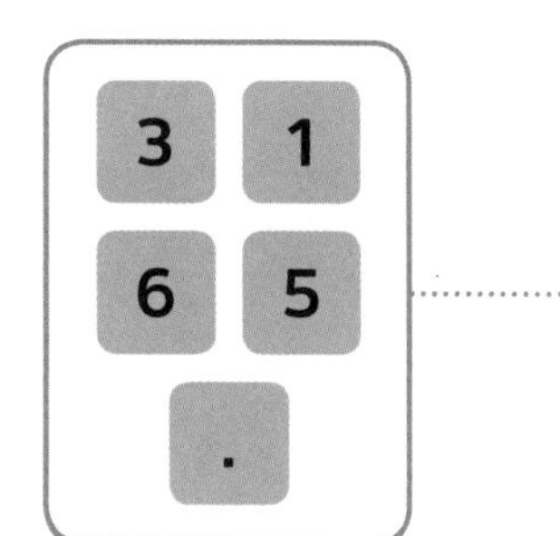

- 2보다 크고 6보다 작습니다.
- 이 소수를 10배 하면 소수 둘째 자리 숫자는 5가 됩니다.
- 소수 둘째 자리 숫자는 소수 첫째 자리 숫자보다 작습니다.

소수: ______________

분수: ______________

7 분수와 소수의 크기를 비교하여 큰 수부터 차례로 기호를 쓰세요.

㉠ $\frac{9}{25}$ ㉡ 0.46 ㉢ $\frac{3}{8}$ ㉣ 0.39

____

8 □ 안에 들어갈 수 있는 자연수는 모두 몇 개인가요?

$$\frac{7}{125} < \frac{\square}{1000} < \frac{8}{125}$$

______ 개

9 진호는 2 m짜리 끈의 $\frac{2}{5}$를 사용했고, 민수는 3 m짜리 끈의 1.7 m를 사용했습니다. 끈이 더 많이 남은 사람은 누구인가요?

____

소수의 곱셈

소수점의 이동과 소수의 곱셈

1일 413 • 곱의 소수점의 위치 ······ 66

2일 414 • 소수와 자연수의 곱셈 ······ 70

3일 415 • 소수 한 자리 수끼리의 곱셈 ···· 74

4일 416 • 소수의 곱셈 ······ 78

5일 형성평가 ······ 82

곱의 소수점의 위치

곱의 소수점의 위치를 알아봅시다.

$0.27 \times 10 = 2.7$

$0.27 \times 100 = 27$

$0.27 \times 1000 = 270$

곱하는 수의 0의 수만큼 소수점이 오른쪽으로 옮겨집니다.

$360 \times 0.1 = 36$

$360 \times 0.01 = 3.6$

$360 \times 0.001 = 0.36$

곱하는 수의 소수점 아래 자릿수만큼 소수점이 왼쪽으로 옮겨집니다.

$0.7 \times 10 = \square$

$0.7 \times 100 = \square$

$0.7 \times 1000 = \square$

$25 \times 0.1 = \square$

$25 \times 0.01 = \square$

$25 \times 0.001 = \square$

$0.145 \times 10 = \square$

$0.145 \times 100 = \square$

$0.145 \times 1000 = \square$

$4150 \times 0.1 = \square$

$4150 \times 0.01 = \square$

$4150 \times 0.001 = \square$

0.9×10	1.2×10	5.1×10
0.31×100	1.94×100	7.15×100
0.125×1000	2.142×1000	5.028×1000
8×0.1	24×0.1	59×0.1
43×0.01	210×0.01	107×0.01
718×0.001	1580×0.001	3058×0.001

1 □ 안에 알맞은 수를 쓰세요.

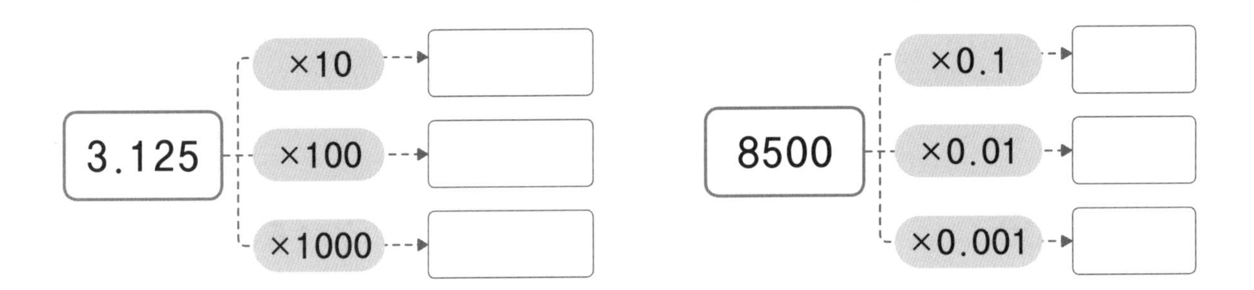

2 □ 안에 알맞은 수를 쓰세요.

$0.45\times10=\frac{\square}{100}\times10=\frac{\square\times10}{100}=\frac{\square}{100}=\square$

$750\times0.01=750\times\frac{\square}{100}=\frac{750\times\square}{100}=\frac{\square}{100}=\square$

3 계산 결과가 같은 것끼리 선으로 이으세요.

5.3×1	530×0.1
5.3×10	530×0.01
5.3×0.1	530×0.001

4 ○ 안에 >, =, <를 알맞게 넣으세요.

0.1×72 ○ 10×7.2　　10×0.58 ○ 100×0.58

15.4×0.1 ○ 152×0.01　　530×0.01 ○ 350×0.1

5 □ 안에 알맞은 수를 쓰세요.

$25.7\times\square=0.257$　　$\square\times100=302.8$

$257\times\square=0.257$　　$\square\times0.1=29.91$

$20.09\times\square=2.009$　　$\square\times0.001=0.289$

6 주스 1병의 무게는 0.851 kg입니다. 주스 10병, 100병, 1000병의 무게는 각각 얼마인지 구하세요.

10병: ______ kg, 100병: ______ kg, 1000병: ______ kg

소수와 자연수의 곱셈

개념원리

자연수의 곱셈을 이용하여 소수와 자연수의 곱셈을 계산해 봅시다.

$$\begin{array}{r} 4 \\ \times\ 13 \\ \hline 52 \end{array} \Rightarrow \begin{array}{r} 4 \\ \times\ 1.3 \\ \hline \boxed{5.2} \end{array}$$

4 × 13 = 52 → ($\frac{1}{10}$배) 4 × 1.3 = 5.2 ($\frac{1}{10}$배)

$$\begin{array}{r} 121 \\ \times\ 15 \\ \hline 1815 \end{array} \Rightarrow \begin{array}{r} 1.21 \\ \times\ 15 \\ \hline \boxed{18.15} \end{array}$$

121 × 15 = 1815 → ($\frac{1}{100}$배) 1.21 × 15 = 18.15 ($\frac{1}{100}$배)

곱의 소수점의 위치는 곱하는 소수의 소수점의 위치와 같습니다.

$$\begin{array}{r} 5 \\ \times\ 13 \\ \hline 65 \end{array} \Rightarrow \begin{array}{r} 5 \\ \times\ 1.3 \\ \hline \boxed{} \end{array}$$

$$\begin{array}{r} 27 \\ \times\ 4 \\ \hline 108 \end{array} \Rightarrow \begin{array}{r} 2.7 \\ \times\ 4 \\ \hline \boxed{} \end{array}$$

$$\begin{array}{r} 129 \\ \times\ 4 \\ \hline 516 \end{array} \Rightarrow \begin{array}{r} 1.29 \\ \times\ 4 \\ \hline \boxed{} \end{array}$$

$$\begin{array}{r} 214 \\ \times\ 17 \\ \hline 3638 \end{array} \Rightarrow \begin{array}{r} 2.14 \\ \times\ 17 \\ \hline \boxed{} \end{array}$$

$$\begin{array}{r} 0.7 \\ \times \quad 4 \\ \hline \end{array}$$

$$\begin{array}{r} 3.4 \\ \times \quad 3 \\ \hline \end{array}$$

$$\begin{array}{r} 2.34 \\ \times \quad 4 \\ \hline \end{array}$$

$$\begin{array}{r} 5 \\ \times \ 0.9 \\ \hline \end{array}$$

$$\begin{array}{r} 6 \\ \times \ 5.2 \\ \hline \end{array}$$

$$\begin{array}{r} 8 \\ \times \ 1.71 \\ \hline \end{array}$$

0.8×8

4×2.6

1.7×7

6×1.52

0.97×5

11×2.12

1 여러 가지 방법으로 계산한 것입니다. □ 안에 알맞은 수를 쓰세요.

방법1 $0.3\times4=0.3+\square+\square+\square=\square$

방법2 $0.3\times4=\frac{\square}{10}\times4=\frac{\square\times\square}{10}=\frac{\square}{10}=\square$

방법3 0.3은 0.1이 □개입니다.

0.3×4는 0.1이 □개씩 □묶음입니다.

0.1이 모두 □개이므로 0.3×4=□입니다.

2 어림했을 때 계산 결과가 10보다 작은 것을 찾아 기호를 쓰세요.

㉠2.7×4 ㉡3.9×3 ㉢5.1×2 ㉣4.9×2

3 빈 곳에 알맞은 수를 쓰세요.

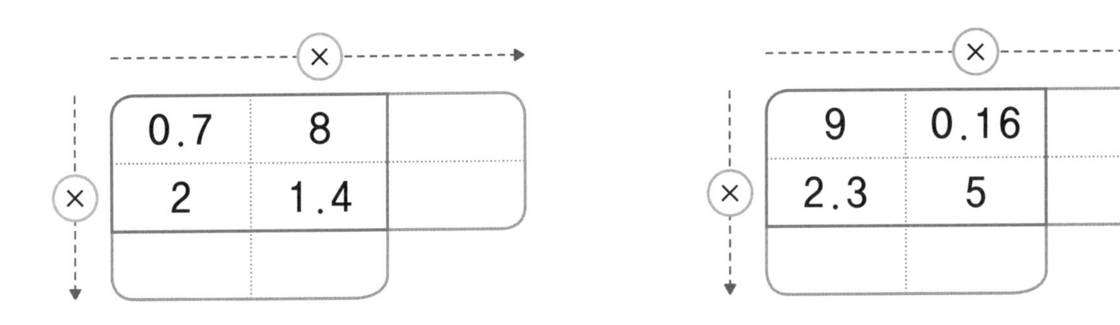

4 $152 \times 27 = 4104$입니다. 관계있는 것끼리 선으로 이으세요.

152×0.027	410.4
152×2.7	41.04
152×0.27	4.104

5 평행사변형의 넓이는 몇 m^2인가요?

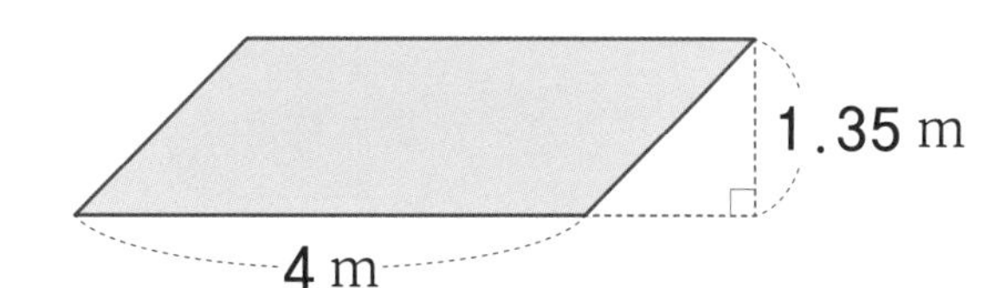

______ m^2

6 찬우는 매일 아침 공원에서 1.4 km씩 달리기를 합니다. 찬우가 이주일 동안 달리기를 한 거리는 몇 km인가요?

______ km

소수 한 자리 수끼리의 곱셈

자연수의 곱셈을 이용하여 소수 한 자리 수끼리의 곱셈을 알아봅시다.

$$\begin{array}{r} 3 \\ \times\ 5 \\ \hline \boxed{15} \end{array} \Rightarrow \begin{array}{r} 0.3 \\ \times\ 0.5 \\ \hline \boxed{0.15} \end{array}$$

$3 \times 5 = 15$ → ($\frac{1}{10}$배, $\frac{1}{10}$배, $\frac{1}{100}$배) → $0.3 \times 0.5 = 0.15$

$$\begin{array}{r} 21 \\ \times\ 15 \\ \hline \boxed{315} \end{array} \Rightarrow \begin{array}{r} 2.1 \\ \times\ 1.5 \\ \hline \boxed{3.15} \end{array}$$

$21 \times 15 = 315$ → ($\frac{1}{10}$배, $\frac{1}{10}$배, $\frac{1}{100}$배) → $2.1 \times 1.5 = 3.15$

소수 한 자리 수끼리의 곱은 소수 두 자리 수가 됩니다.

$1.2 \times 0.5 = 0.60$과 같이 소수점 아래 끝에 0이 나올 경우 0을 지워 0.6과 같이 나타냅니다.

$$\begin{array}{r} 2 \\ \times\ 6 \\ \hline \square \end{array} \Rightarrow \begin{array}{r} 0.2 \\ \times\ 0.6 \\ \hline \square \end{array} \qquad \begin{array}{r} 8 \\ \times\ 5 \\ \hline \square \end{array} \Rightarrow \begin{array}{r} 0.8 \\ \times\ 0.5 \\ \hline \square \end{array}$$

$$\begin{array}{r} 13 \\ \times\ 24 \\ \hline \square \end{array} \Rightarrow \begin{array}{r} 1.3 \\ \times\ 2.4 \\ \hline \square \end{array} \qquad \begin{array}{r} 35 \\ \times\ 36 \\ \hline \square \end{array} \Rightarrow \begin{array}{r} 3.5 \\ \times\ 3.6 \\ \hline \square \end{array}$$

$$\begin{array}{r} 0.5 \\ \times\ 0.7 \\ \hline \end{array}$$

$$\begin{array}{r} 0.8 \\ \times\ 0.8 \\ \hline \end{array}$$

$$\begin{array}{r} 2.7 \\ \times\ 0.3 \\ \hline \end{array}$$

$$\begin{array}{r} 0.6 \\ \times\ 3.5 \\ \hline \end{array}$$

$$\begin{array}{r} 1.7 \\ \times\ 1.4 \\ \hline \end{array}$$

$$\begin{array}{r} 5.3 \\ \times\ 9.2 \\ \hline \end{array}$$

0.7×0.7

0.4×0.5

3.8×0.4

0.2×7.8

1.5×1.5

4.9×3.3

1 0.5×0.3을 여러 가지 방법으로 계산한 것입니다. □ 안에 알맞은 수를 쓰세요.

분수의 곱셈으로 계산하기

$$0.5\times0.3=\frac{\square}{10}\times\frac{\square}{10}$$

$$=\frac{\square}{100}=\square$$

자연수의 곱셈으로 계산하기

$$5\times3=\square$$

$\frac{1}{10}$배 $\frac{1}{10}$배 $\frac{1}{\square}$배

$$0.5\times0.3=\square$$

2 가장 큰 수에 ○표 하세요.

6.5×0.9	6.18	1.8×3.5	6.25

3 ■ 안에 들어갈 수 있는 가장 작은 자연수와 ▲ 안에 들어갈 수 있는 가장 큰 자연수를 각각 구하세요.

$5.2\times3.6<$■

■: ______

$2.7\times4.5>$▲

▲: ______

4 수 카드 4장을 한 번씩 모두 사용하여 (소수 한 자리 수)×(소수 한 자리 수)의 식을 만들려고 합니다. 곱이 가장 큰 곱셈식을 만들고 계산하세요.

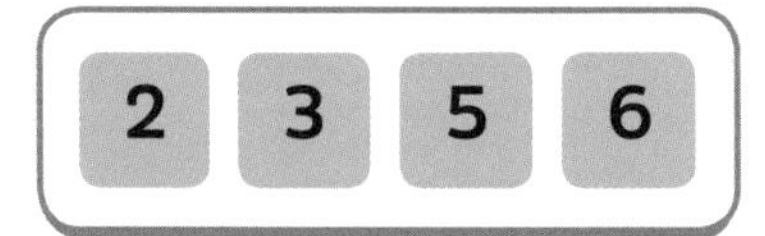

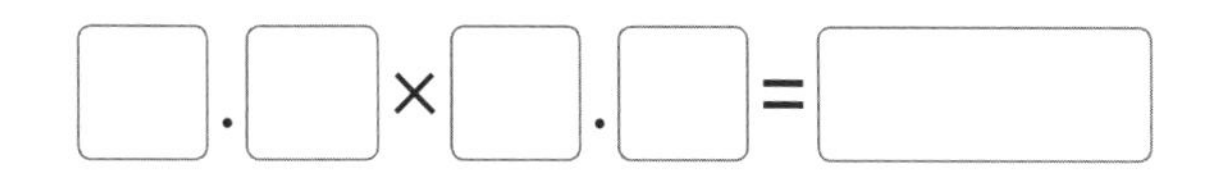

5 색칠한 부분의 넓이는 몇 cm^2인지 구하세요.

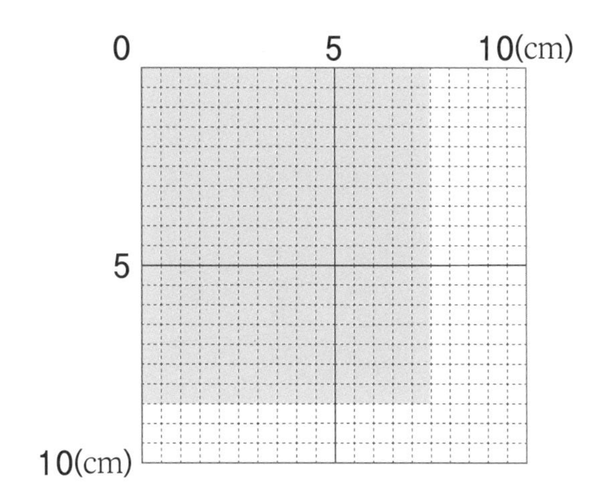

______ cm^2

6 승호의 몸무게는 진우의 몸무게의 1.4배입니다. 진우의 몸무게가 28.5 kg이라면 승호의 몸무게는 몇 kg인가요?

______ kg

소수의 곱셈

소수의 곱셈을 알아봅시다.

$48 \times 34 = 1632$

$48 \times 3.4 =$	163.2	$4.8 \times 34 =$	163.2
$48 \times 0.34 =$	16.32	$0.48 \times 34 =$	16.32
$4.8 \times 3.4 =$	16.32	$0.48 \times 0.34 =$	0.1632
$4.8 \times 0.34 =$	1.632	$0.48 \times 3.4 =$	1.632

곱의 소수점 아래 자리 수는 곱하는 두 소수의 소수점 아래 자리 수를 더한 값과 같습니다.

$26 \times 58 = 1508$

$2.6 \times 58 =$		$26 \times 5.8 =$	
$26 \times 0.58 =$		$0.26 \times 5.8 =$	
$2.6 \times 5.8 =$		$0.26 \times 58 =$	
$2.6 \times 0.58 =$		$0.26 \times 0.58 =$	

$37 \times 28 = 1036$

$3.7 \times 0.28 =$ ☐

$62 \times 56 = 3472$

$0.62 \times 0.56 =$ ☐

0.08
× 0.6

0.14
× 0.8

소수의 곱셈을 세로셈과
가로셈으로 계산해 보세요.

1.23
× 0.9

0.34
× 0.08

1.48
× 0.37

$1.15 \times 1.4 =$ ☐

$1.6 \times 3.12 =$ ☐

$2.25 \times 1.08 =$ ☐

$6.13 \times 3.3 =$ ☐

1 ○ 안에 >, =, <를 알맞게 넣으세요.

1.5×0.2 ○ 0.8×0.4　　　3.8×0.5 ○ 0.08×3

2×0.04 ○ 0.07×0.6　　　0.3×0.12 ○ 0.04×0.9

2 계산 결과가 같은 것끼리 선으로 이으세요.

3.2×2.9	3.2×0.29
0.32×2.9	320×0.029
3.2×29	0.32×290

3 가장 큰 수와 가장 작은 수의 곱을 구하세요.

4.7	42.1	0.35	18.25

4 왼쪽 식을 이용하여 □ 안에 알맞은 수를 쓰세요.

$318\times21=6678$

$3.18\times\square=0.6678$

$\square\times2100=667.8$

5 다음을 계산하세요.

$0.8\times5.2\times0.5$

$17.6\times0.02\times4.5$

6 정우네 집에는 가로 4.2 m, 세로 5.4 m 길이의 직사각형 모양의 밭이 있습니다. 가로와 세로를 각각 1.5배씩 늘려 새로운 밭을 만들려고 할 때 새로운 밭의 넓이는 몇 m^2인가요?

_______ m^2

형성평가

1 □ 안에 알맞은 소수를 쓰세요.

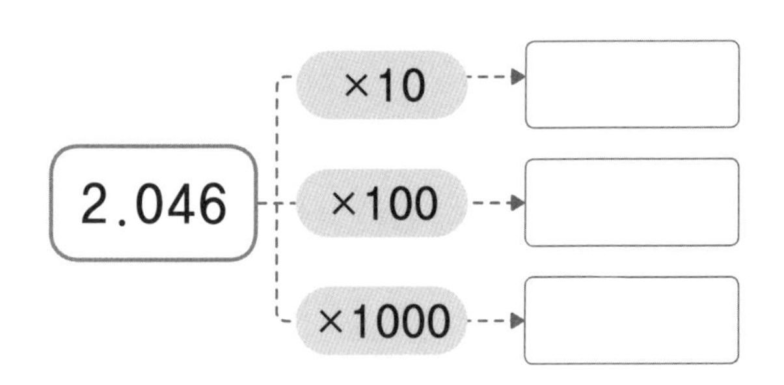

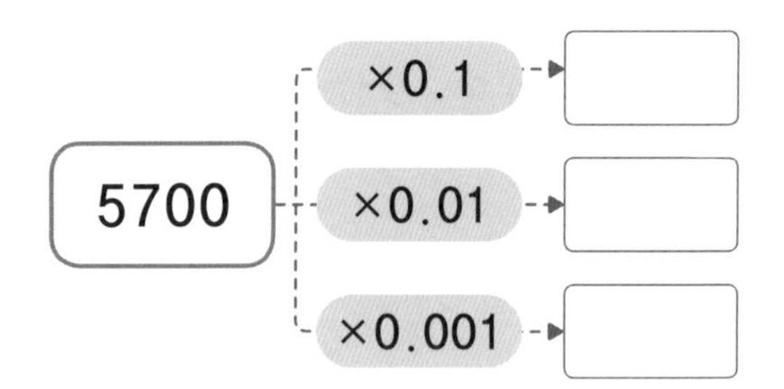

2 계산 결과가 같은 것끼리 선으로 이으세요.

484×0.1	4.84×0.1
484×0.001	48.4×0.001
4.84×0.01	4840×0.01

3 민수는 매일 물을 1.3 L씩 마십니다. 민수가 일주일 동안 마신 물은 모두 몇 L인가요?

_______ L

4 ■ 안에 들어갈 수 있는 가장 큰 자연수와 ▲ 안에 들어갈 수 있는 가장 작은 자연수를 각각 구하세요.

$4.3 \times 2.5 > ■$

■: ______

$6.8 \times 5.4 < ▲$

▲: ______

5 수 카드 4장을 한 번씩 모두 사용하여 (소수 한 자리 수)×(소수 한 자리 수)의 식을 만들려고 합니다. 곱이 가장 큰 곱셈식을 만들고 계산하세요.

3 5 6 8

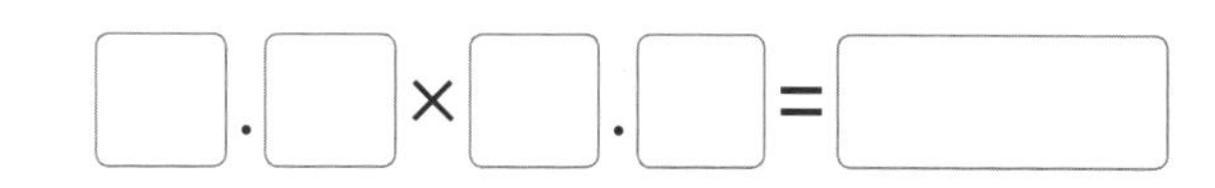

6 $59 \times 25 = 1475$입니다. 계산이 맞도록 밑줄 친 수에 소수점을 찍으세요.

0.059×25
$= \underline{1\ 4\ 7\ 5}$

5.9×0.025
$= \underline{1\ 4\ 7\ 5}$

7 다음을 계산하세요.

$$\begin{array}{r} 2.6 \\ \times\ 0.5 \\ \hline \end{array}$$

$$\begin{array}{r} 4.58 \\ \times\ 2.1 \\ \hline \end{array}$$

$$\begin{array}{r} 5.25 \\ \times\ 0.74 \\ \hline \end{array}$$

8 다음을 계산하세요.

$3.7\times0.4\times0.5$

$12.5\times4.7\times0.8$

9 준호네 집 마당은 가로 3.8 m, 세로 4.5 m 길이의 직사각형 모양입니다. 가로와 세로를 각각 1.4배씩 늘려 새로운 마당을 만들려고 할 때, 새로운 마당의 넓이는 몇 m^2인가요?

______ m^2

상위권으로 가는 문제 해결 연산 학습지

E2
초5 ~ 초6

분수의 곱셈

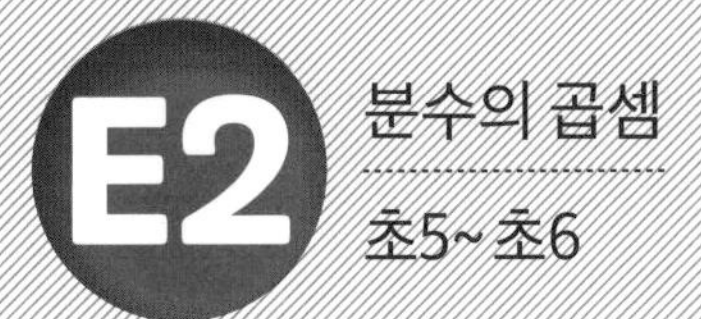

정답 및 길잡이

자연수와 분수의 곱셈

6·7쪽

1일 401 자연수의 분수만큼

개념원리 자연수의 분수만큼을 알아봅시다.

- 18의 $\frac{1}{6}$은 3
- 18의 $\frac{5}{6}$는 15
- $18\times\frac{5}{6}=$ 15

18의 $\frac{5}{6}$는 $18\times\frac{5}{6}$와 같습니다.

- 30의 $\frac{1}{5}$은 6
- 30의 $\frac{3}{5}$은 18
- $30\times\frac{3}{5}=$ 18

- 28의 $\frac{1}{7}$은 4
- 28의 $\frac{4}{7}$는 16
- $28\times\frac{4}{7}=$ 16

- 25의 $\frac{1}{5}$은 5
- 25의 $\frac{4}{5}$는 20
- $25\times\frac{4}{5}=$ 20

- 20의 $\frac{1}{4}$은 5
- 20의 $\frac{3}{4}$은 15
- $20\times\frac{3}{4}=$ 15

- 18의 $\frac{1}{3}$은 6
- 18의 $\frac{2}{3}$는 12
- $18\times\frac{2}{3}=$ 12

- 14의 $\frac{1}{7}$은 2
- 14의 $\frac{6}{7}$은 12
- $14\times\frac{6}{7}=$ 12

- 35의 $\frac{1}{7}$은 5
- 35의 $\frac{6}{7}$은 30
- $35\times\frac{6}{7}=$ 30

- 24의 $\frac{1}{8}$은 3
- 24의 $\frac{5}{8}$는 15
- $24\times\frac{5}{8}=$ 15

6 응용연산 E2 / 1주 : 자연수와 분수의 곱셈 7

8·9쪽

응용연산

1 그림을 보고 □ 안에 알맞은 수를 쓰세요.

- 36의 $\frac{2}{3}$는 24
- 36의 $\frac{3}{4}$은 27
- 36의 $\frac{5}{6}$는 30
- 36의 $\frac{8}{9}$은 32
- $36\times\frac{7}{12}=$ 21
- $36\times\frac{11}{18}=$ 22

2 관계있는 것끼리 선으로 이으세요.

- 36의 $\frac{1}{9}$ (4) — $28\times\frac{1}{7}$ (4)
- 15의 $\frac{1}{3}$ (5) — $40\times\frac{1}{8}$ (5)
- 27의 $\frac{1}{3}$ (9) — $18\times\frac{1}{2}$ (9)
- 24의 $\frac{2}{3}$ (16) — $36\times\frac{4}{9}$ (16)
- 27의 $\frac{2}{3}$ (18) — $45\times\frac{2}{5}$ (18)
- 42의 $\frac{2}{7}$ (12) — $30\times\frac{2}{5}$ (12)

3 다음 중 가장 큰 수에 ○표, 가장 작은 수에 △표 하세요.

20의 $\frac{4}{5}$	35의 $\frac{4}{7}$	50의 $\frac{3}{10}$ (△)	48의 $\frac{3}{8}$	49의 $\frac{3}{7}$ (○)
16	20	15	18	21

$32\times\frac{5}{8}$	$64\times\frac{3}{8}$ (○)	$56\times\frac{2}{7}$	$27\times\frac{5}{9}$ (△)	$28\times\frac{3}{4}$
20	24	16	15	21

4 민주는 오늘 하루 24 시간 중 $\frac{1}{4}$은 학교에서 보내고, $\frac{1}{8}$은 놀이터에서 보내고 남은 시간은 집에서 보냈습니다. □ 안에 알맞은 수를 쓰세요.

- 학교에서 보낸 시간은 6 시간입니다.
- 놀이터에서 보낸 시간은 3 시간입니다.
- 집에서 보낸 시간은 15 시간입니다.

5 지호는 한 달의 30일 중 $\frac{5}{6}$는 책을 읽었습니다. 책을 읽지 않은 날은 며칠일까요?

$30\times\frac{1}{6}=5$(일) 5 일

8 응용연산 E2 / 1주 : 자연수와 분수의 곱셈 9

10·11쪽

2일 402

진분수와 자연수의 곱셈

개념원리 진분수와 자연수, 자연수와 진분수의 곱셈을 알아봅시다.

$\frac{2}{7}\times3=\frac{2\times3}{7}=\frac{6}{7}$ 분자와 자연수를 곱합니다.

$2\times\frac{5}{9}=\frac{2\times5}{9}=\frac{10}{9}=1\frac{1}{9}$ 자연수와 분자를 곱합니다. 계산 결과가 가분수이면 대분수로 나타냅니다.

$\frac{5}{6}\times3=\frac{5\times3}{6}=\frac{\cancel{15}^{5}}{\cancel{6}_{2}}=2\frac{1}{2}$ 분자와 자연수를 곱합니다. 약분하여 기약분수로 나타내고, 계산 결과가 가분수이면 대분수로 나타냅니다.

$\frac{1}{8}\times5=\frac{1\times5}{8}=\frac{5}{8}$

$2\times\frac{4}{9}=\frac{2\times4}{9}=\frac{8}{9}$

$3\times\frac{3}{7}=\frac{3\times3}{7}=\frac{9}{7}=1\frac{2}{7}$

$\frac{2}{5}\times6=\frac{2\times6}{5}=\frac{12}{5}=2\frac{2}{5}$

$\frac{3}{18}\times9=\frac{3\times9}{18}=\frac{\cancel{27}^{3}}{\cancel{18}_{2}}=1\frac{1}{2}$

$5\times\frac{7}{10}=\frac{5\times7}{10}=\frac{\cancel{35}^{7}}{\cancel{10}_{2}}=3\frac{1}{2}$

$\frac{1}{5}\times3=\frac{3}{5}$

계산 결과는 약분하여
기약분수로 나타내고,
가분수이면 대분수로 나타냅니다.

$\frac{1}{2}\times5=2\frac{1}{2}$ $\frac{3}{4}\times3=2\frac{1}{4}$

$\frac{6}{7}\times2=1\frac{5}{7}$ $\frac{5}{8}\times5=3\frac{1}{8}$

$4\times\frac{1}{8}=\frac{1}{2}$ $7\times\frac{2}{21}=\frac{2}{3}$

$9\times\frac{5}{36}=1\frac{1}{4}$ $4\times\frac{7}{16}=1\frac{3}{4}$

$9\times\frac{1}{6}=1\frac{1}{2}$ $8\times\frac{3}{10}=2\frac{2}{5}$

12·13쪽

응용연산

1 그림을 보고 □ 안에 알맞은 수를 쓰세요.

$\frac{3}{4}\times3=\frac{3}{4}+\frac{3}{4}+\frac{3}{4}=\frac{3\times3}{4}=\frac{9}{4}=2\frac{1}{4}$

2 다음을 식으로 나타내고 계산하세요.

6의 $\frac{2}{9}$: $6\times\frac{2}{9}=1\frac{1}{3}$

$\frac{8}{15}$의 5배 : $\frac{8}{15}\times5=2\frac{2}{3}$

3 빈칸에 알맞은 수를 쓰세요.

×		
$\frac{1}{10}$	5	$\frac{1}{2}$
15	$\frac{3}{20}$	$2\frac{1}{4}$
$1\frac{1}{2}$	$\frac{3}{4}$	

×		
3	$\frac{1}{6}$	$\frac{1}{2}$
$\frac{7}{12}$	9	$5\frac{1}{4}$
$1\frac{3}{4}$	$1\frac{1}{2}$	

4 □ 안에 들어갈 수 있는 자연수를 모두 쓰세요.

$\frac{3}{10}<\frac{2}{10}\times\square<\frac{9}{10}$: 2, 3, 4

$\frac{14}{9}=1\frac{5}{9}<3\times\frac{\square}{9}<3\frac{1}{9}=\frac{28}{9}$: 5, 6, 7, 8, 9

5 우유가 $\frac{2}{5}$ L씩 들어 있는 컵이 4개 있습니다. 우유는 모두 몇 L일까요?

식 $\frac{2}{5}\times4=1\frac{3}{5}$ 답 $1\frac{3}{5}$ L

6 소영이는 리본 6 m를 가지고 있습니다. 그중에서 $\frac{4}{9}$를 언니에게 주고 $\frac{3}{8}$을 동생에게 주려고 합니다. 언니와 동생에게 준 리본은 각각 몇 m일까요?

언니에게 준 리본: 식 $6\times\frac{4}{9}=2\frac{2}{3}$ 답 $2\frac{2}{3}$ m

동생에게 준 리본: 식 $6\times\frac{3}{8}=2\frac{1}{4}$ 답 $2\frac{1}{4}$ m

14·15쪽

3일 403 약분하여 곱셈하기

개념 원리 약분하여 곱셈하는 방법을 알아봅시다.

[방법 1] $\frac{4}{9}\times6=\frac{4\times\overset{2}{\cancel{6}}}{\underset{3}{\cancel{9}}}=\frac{8}{3}=2\frac{2}{3}$

분자와 자연수의 곱으로 나타낸 후 약분을 한 다음 곱합니다.

[방법 2] $\frac{4}{\underset{3}{\cancel{9}}}\times\overset{2}{\cancel{6}}=\frac{4\times2}{3}=\frac{8}{3}=2\frac{2}{3}$

약분을 먼저 한 다음 분자와 자연수를 곱합니다.

[방법 1] $\frac{5}{12}\times18=\frac{5\times\overset{3}{\cancel{18}}}{\underset{2}{\cancel{12}}}=\frac{15}{2}=7\frac{1}{2}$

[방법 2] $\frac{5}{\underset{2}{\cancel{12}}}\times\overset{3}{\cancel{18}}=\frac{5\times3}{2}=\frac{15}{2}=7\frac{1}{2}$

[방법 1] $21\times\frac{3}{14}=\frac{\overset{3}{\cancel{21}}\times3}{\underset{2}{\cancel{14}}}=\frac{9}{2}=4\frac{1}{2}$

[방법 2] $\overset{3}{\cancel{21}}\times\frac{3}{\underset{2}{\cancel{14}}}=\frac{3\times3}{2}=\frac{9}{2}=4\frac{1}{2}$

$\frac{1}{8}\times4=\frac{1}{2}$

약분한 후 계산한 결과가
가분수이면 대분수로 나타냅니다.

$3\times\frac{7}{12}=\frac{7}{4}=1\frac{3}{4}$ $\frac{8}{15}\times5=\frac{8}{3}=2\frac{2}{3}$

$\frac{2}{15}\times5=\frac{2}{3}$ $6\times\frac{3}{8}=\frac{9}{4}=2\frac{1}{4}$

$9\times\frac{5}{6}=\frac{15}{2}=7\frac{1}{2}$ $\frac{7}{15}\times10=\frac{14}{3}=4\frac{2}{3}$

$\frac{5}{12}\times8=\frac{10}{3}=3\frac{1}{3}$ $12\times\frac{9}{10}=\frac{54}{5}=10\frac{4}{5}$

$15\times\frac{10}{27}=\frac{50}{9}=5\frac{5}{9}$ $\frac{11}{36}\times24=\frac{22}{3}=7\frac{1}{3}$

16·17쪽

응용연산

1 계산 결과가 같은 것끼리 선으로 이으세요.

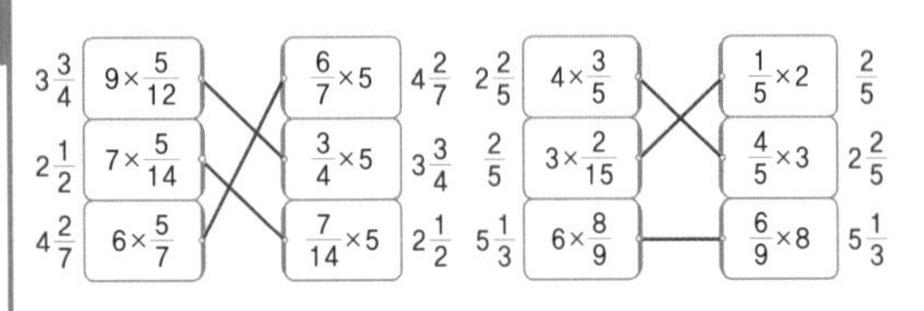

$3\frac{3}{4}$ $9\times\frac{5}{12}$ — $\frac{3}{4}\times5$ $3\frac{3}{4}$

$2\frac{1}{2}$ $7\times\frac{5}{14}$ — $\frac{7}{14}\times5$ $2\frac{1}{2}$

$4\frac{2}{7}$ $6\times\frac{5}{7}$ — $\frac{6}{7}\times5$ $4\frac{2}{7}$

$2\frac{2}{5}$ $4\times\frac{3}{5}$ — $\frac{4}{5}\times3$ $2\frac{2}{5}$

$\frac{2}{5}$ $3\times\frac{2}{15}$ — $\frac{1}{5}\times2$ $\frac{2}{5}$

$5\frac{1}{3}$ $6\times\frac{8}{9}$ — $\frac{6}{9}\times8$ $5\frac{1}{3}$

2 ● 안의 수와 ◸ 안의 수를 곱하여 빈 곳에 알맞은 분수를 쓰세요.

3 계산 결과가 가장 큰 것에 ○표, 가장 작은 것에 △표 하세요.

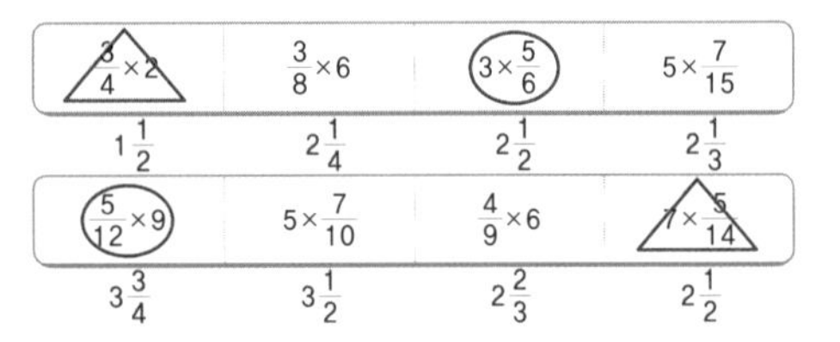

$\frac{3}{4}\times2$ (△)	$\frac{3}{8}\times6$	$3\times\frac{5}{6}$ (○)	$5\times\frac{7}{15}$
$1\frac{1}{2}$	$2\frac{1}{4}$	$2\frac{1}{2}$	$2\frac{1}{3}$
$\frac{5}{12}\times9$ (○)	$5\times\frac{7}{10}$	$\frac{4}{9}\times6$	$7\times\frac{5}{14}$ (△)
$3\frac{3}{4}$	$3\frac{1}{2}$	$2\frac{2}{3}$	$2\frac{1}{2}$

4 주어진 수를 한 번씩 모두 사용하여 계산 결과가 가장 큰 (자연수)×(진분수)의 식을 만들고 계산하세요.

3 4 6 $6\times\frac{3}{4}=4\frac{1}{2}$

6 8 5 $8\times\frac{5}{6}=6\frac{2}{3}$

5 승호는 집에서 6 km 떨어진 할머니 댁에 갔습니다. 전체 거리의 $\frac{5}{8}$는 버스를 타고 가고 나머지는 걸었다면 걸은 거리는 몇 km일까요?

식 $6\times\frac{3}{8}=2\frac{1}{4}$ 답 $2\frac{1}{4}$ km

18·19쪽

4일 404

대분수와 자연수의 곱셈

개념원리 대분수와 자연수의 곱셈을 알아봅시다.

[방법 1] $2\frac{5}{9}\times6=\frac{23}{\cancel{9}_{3}}\times\cancel{6}^{2}=\frac{46}{3}=15\frac{1}{3}$

대분수를 가분수로 고친 후 약분이 되면 먼저 약분하여 계산합니다.

[방법 2] $2\frac{5}{9}\times6=(2\times6)+(\frac{5}{\cancel{9}_{3}}\times\cancel{6}^{2})=12+\frac{10}{3}=12+3\frac{1}{3}=15\frac{1}{3}$

대분수를 자연수와 분수 부분으로 나누어 계산합니다.

[방법 1] $1\frac{3}{8}\times6=\frac{11}{\cancel{8}_{4}}\times\cancel{6}^{3}=\frac{33}{4}=8\frac{1}{4}$

[방법 2] $1\frac{3}{8}\times6=(1\times6)+(\frac{3}{\cancel{8}_{4}}\times\cancel{6}^{3})=6+2\frac{1}{4}=8\frac{1}{4}$

[방법 1] $4\times2\frac{5}{6}=\cancel{4}^{2}\times\frac{17}{\cancel{6}_{3}}=\frac{34}{3}=11\frac{1}{3}$

[방법 2] $4\times2\frac{5}{6}=(4\times2)+(\cancel{4}^{2}\times\frac{5}{\cancel{6}_{3}})=8+3\frac{1}{3}=11\frac{1}{3}$

$2\frac{3}{5}\times3=7\frac{4}{5}$ $\quad 2\times3\frac{2}{9}=6\frac{4}{9}$

$2\frac{1}{7}\times5=10\frac{5}{7}$ $\quad 4\times1\frac{2}{3}=6\frac{2}{3}$

$1\frac{3}{8}\times2=2\frac{3}{4}$ $\quad 3\times3\frac{2}{9}=9\frac{2}{3}$

$2\frac{2}{5}\times25=60$ $\quad 21\times3\frac{5}{7}=78$

$3\frac{3}{4}\times14=52\frac{1}{2}$ $\quad 25\times1\frac{4}{15}=31\frac{2}{3}$

$2\frac{5}{6}\times9=25\frac{1}{2}$ $\quad 16\times3\frac{7}{12}=57\frac{1}{3}$

20·21쪽

응용연산

1 계산 결과가 왼쪽 수보다 큰 식에 모두 ○표 하세요.

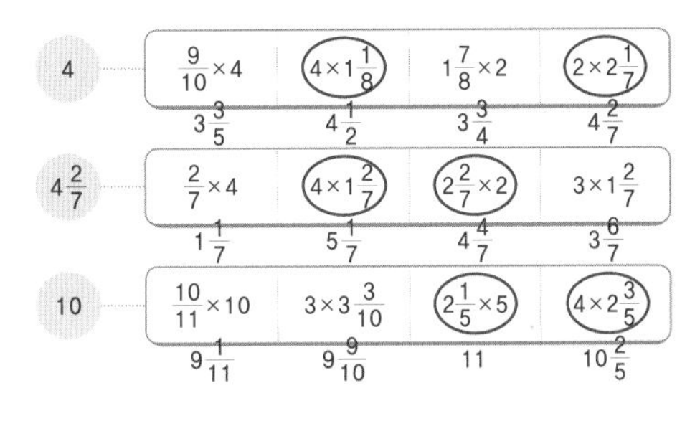

4
9/10 × 4 → 3 3/5
(4 × 1 1/8) → 4 1/2
1 7/8 × 2 → 3 3/4
(2 × 2 1/7) → 4 2/7
4 2/7
2/7 × 4 → 1 1/7
(4 × 1 2/7) → 5 1/7
(2 2/7 × 2) → 4 4/7
3 × 1 2/7 → 3 6/7
10
10/11 × 10 → 9 1/11
3 × 3 3/10 → 9 9/10
(2 1/5 × 5) → 11
(4 × 2 3/5) → 10 2/5

2 빈칸에 알맞은 수를 쓰세요.

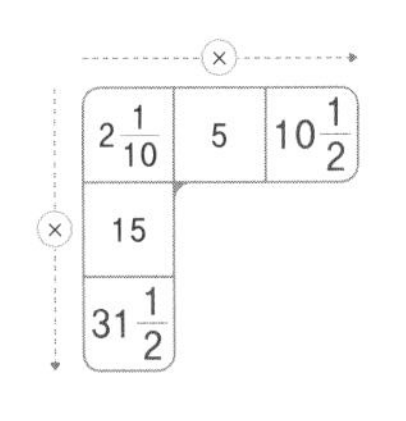

×	3	$3\frac{1}{9}$	$9\frac{1}{3}$
	$1\frac{7}{12}$		
	$4\frac{3}{4}$		

3 □ 안에 들어갈 수 있는 자연수를 모두 쓰세요.

$2\frac{1}{5}<1\frac{1}{5}\times\square<5\frac{1}{5}$

$\frac{11}{5}<\frac{6}{5}\times\square<\frac{26}{5}$ → 2, 3, 4

$3\frac{1}{9}<2\times1\frac{\square}{9}<3\frac{8}{9}$

$\frac{28}{9}<\frac{18+2\times\square}{9}<\frac{35}{9}$ → 6, 7, 8

4 주어진 수를 한 번씩 모두 사용하여 계산 결과가 가장 큰 (자연수)×(대분수)의 식을 만들고 계산하세요.

5 1 2 3: $5\times3\frac{1}{2}=17\frac{1}{2}$

4 5 6 3: $6\times5\frac{3}{4}=34\frac{1}{2}$

5 한 변이 $4\frac{1}{6}$ cm인 정사각형의 둘레는 얼마인가요?

식 $4\frac{1}{6}\times4=16\frac{2}{3}$ 답 $16\frac{2}{3}$ cm

22·23쪽

5일 형성평가

1 그림을 보고 □ 안에 알맞은 수를 쓰세요.

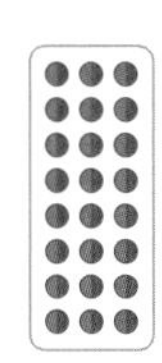

24의 $\frac{2}{3}$는 16

24의 $\frac{3}{4}$은 18

24의 $\frac{5}{6}$는 20

24의 $\frac{7}{8}$은 21

2 다음 중 가장 큰 수에 ○표, 가장 작은 수에 △표 하세요.

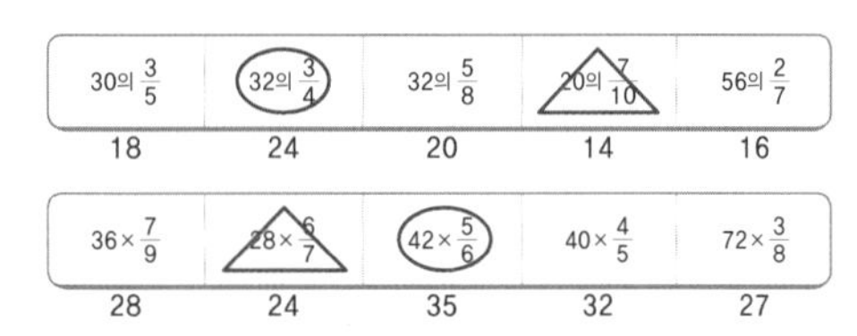

30의 $\frac{3}{5}$	32의 $\frac{3}{4}$ (○)	32의 $\frac{5}{8}$	20의 $\frac{7}{10}$ (△)	56의 $\frac{2}{7}$
18	24	20	14	16

$36\times\frac{7}{9}$	$28\times\frac{6}{7}$ (△)	$42\times\frac{5}{6}$ (○)	$40\times\frac{4}{5}$	$72\times\frac{3}{8}$
28	24	35	32	27

3 정호는 색종이 24장 중 $\frac{3}{4}$을 사용하였습니다. 정호가 사용하지 않은 색종이는 몇 장일까요?

$24\times\frac{1}{4}=6$(장) 6 장

4 빈칸에 알맞은 수를 쓰세요.

$\frac{1}{8}$	4	$\frac{1}{2}$
6	$\frac{3}{10}$	$1\frac{4}{5}$
$\frac{3}{4}$	$1\frac{1}{5}$	

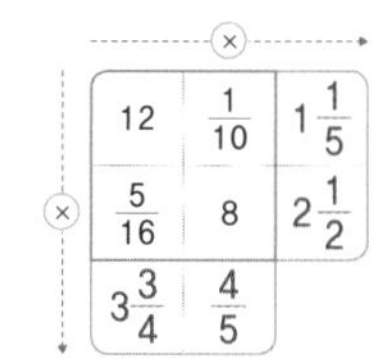

12	$\frac{1}{10}$	$1\frac{1}{5}$
$\frac{5}{16}$	8	$2\frac{1}{2}$
$3\frac{3}{4}$	$\frac{4}{5}$	

5 □ 안에 들어갈 수 있는 자연수를 모두 쓰세요.

$\frac{5}{12}<\frac{2}{12}\times\square<\frac{11}{12}$ → 3, 4, 5

$1\frac{3}{8}<3\times\frac{\square}{8}<3\frac{1}{8}$ → 4, 5, 6, 7, 8

6 ● 안의 수와 ◠ 안의 수를 곱하여 빈 곳에 알맞은 분수를 쓰세요.

24쪽

7 주어진 수를 한 번씩 모두 사용하여 계산 결과가 가장 큰 (자연수)×(진분수), (자연수)×(대분수)의 식을 만들고 계산하세요.

$9\times\frac{5}{6}=7\frac{1}{2}$

2 8 3 6

$8\times6\frac{2}{3}=53\frac{1}{3}$

8 다음과 같은 직사각형 모양의 꽃밭이 있습니다. 이 꽃밭의 넓이는 몇 m^2인가요?

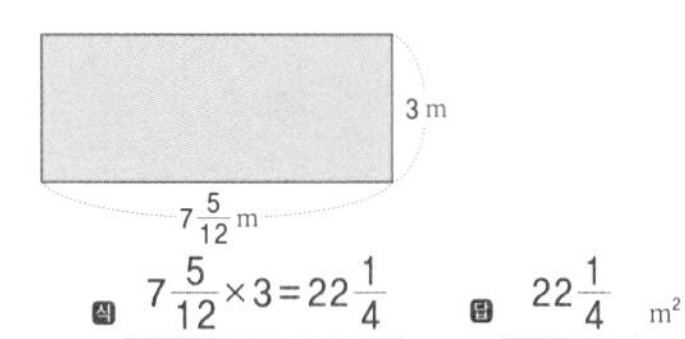

식 $7\frac{5}{12}\times3=22\frac{1}{4}$ 답 $22\frac{1}{4}$ m^2

9 한 변이 $2\frac{3}{10}$ cm인 정사각형의 둘레는 얼마인가요?

식 $2\frac{3}{10}\times4=9\frac{1}{5}$ 답 $9\frac{1}{5}$ cm

분수와 분수의 곱셈

1일 405 진분수와 진분수의 곱셈

개념원리 진분수의 곱셈을 알아봅시다.

$\frac{3}{5}\times\frac{3}{4}=\frac{3\times3}{5\times4}=\frac{9}{20}$ 분자는 분자끼리, 분모는 분모끼리 곱합니다.

$\frac{5}{6}\times\frac{4}{9}=\frac{5\times4}{6\times9}=\frac{\overset{10}{\cancel{20}}}{\underset{27}{\cancel{54}}}=\frac{10}{27}$ 분자는 분자끼리, 분모는 분모끼리 곱한 후 약분하여 기약분수로 나타냅니다.

$\frac{1}{7}\times\frac{1}{2}=\frac{1\times1}{7\times2}=\frac{1}{14}$

$\frac{2}{3}\times\frac{2}{9}=\frac{2\times2}{3\times9}=\frac{4}{27}$

$\frac{6}{7}\times\frac{4}{9}=\frac{6\times4}{7\times9}=\frac{\overset{8}{\cancel{24}}}{\underset{21}{\cancel{63}}}=\frac{8}{21}$

$\frac{7}{10}\times\frac{5}{6}=\frac{7\times5}{10\times6}=\frac{\overset{7}{\cancel{35}}}{\underset{12}{\cancel{60}}}=\frac{7}{12}$

$\frac{1}{2}\times\frac{1}{2}=\frac{1}{4}$ $\frac{1}{5}\times\frac{1}{8}=\frac{1}{40}$

$\frac{1}{6}\times\frac{2}{3}=\frac{1}{9}$ $\frac{4}{5}\times\frac{1}{7}=\frac{4}{35}$ $\frac{1}{4}\times\frac{3}{4}=\frac{3}{16}$

$\frac{2}{5}\times\frac{3}{7}=\frac{6}{35}$ $\frac{4}{9}\times\frac{2}{5}=\frac{8}{45}$ $\frac{3}{4}\times\frac{7}{9}=\frac{7}{12}$

$\frac{2}{3}\times\frac{1}{2}=\frac{2}{6}=\frac{1}{3}$ $\frac{2}{5}\times\frac{3}{4}=\frac{6}{20}=\frac{3}{10}$ $\frac{3}{4}\times\frac{3}{4}=\frac{9}{16}$

$\frac{2}{3}\times\frac{5}{7}=\frac{10}{21}$ $\frac{4}{9}\times\frac{2}{9}=\frac{8}{81}$ $\frac{5}{8}\times\frac{4}{5}=\frac{1}{2}$

$\frac{7}{10}\times\frac{2}{5}=\frac{14}{50}=\frac{7}{25}$ $\frac{5}{6}\times\frac{5}{12}=\frac{25}{72}$ $\frac{3}{5}\times\frac{7}{18}=\frac{7}{30}$

응용연산

1 빈칸에 알맞은 분수를 쓰세요. (단, 계산 결과는 기약분수로 나타냅니다.)

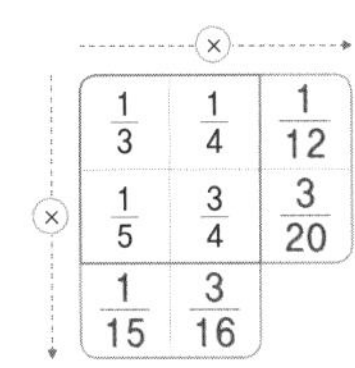

×		
$\frac{1}{3}$	$\frac{1}{4}$	$\frac{1}{12}$
$\frac{1}{5}$	$\frac{3}{4}$	$\frac{3}{20}$
$\frac{1}{15}$	$\frac{3}{16}$	

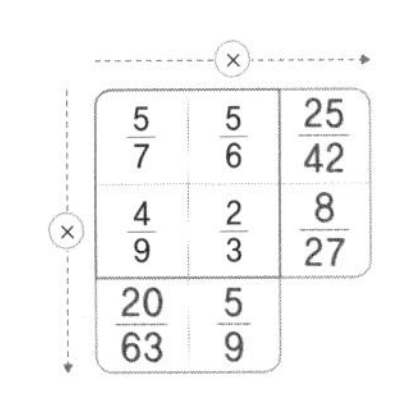

×		
$\frac{5}{7}$	$\frac{5}{6}$	$\frac{25}{42}$
$\frac{4}{9}$	$\frac{2}{3}$	$\frac{8}{27}$
$\frac{20}{63}$	$\frac{5}{9}$	

2 왼쪽 분수보다 계산 결과가 작은 것에 모두 ○표 하세요.

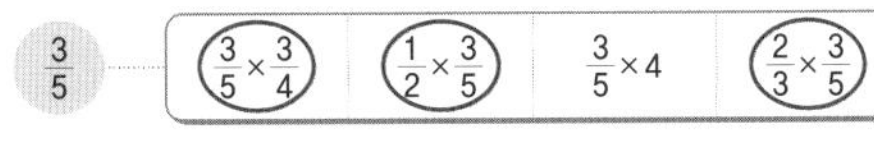

$\frac{3}{5}$: ($\frac{3}{5}\times\frac{3}{4}$) ($\frac{1}{2}\times\frac{3}{5}$) $\frac{3}{5}\times4$ ($\frac{2}{3}\times\frac{3}{5}$)

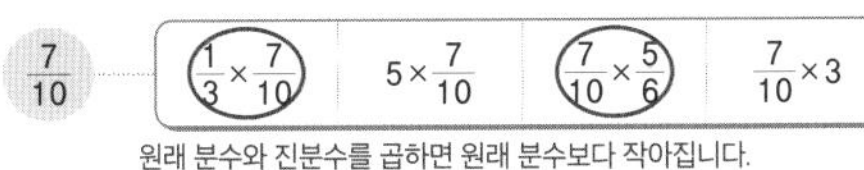

$\frac{7}{10}$: ($\frac{1}{3}\times\frac{7}{10}$) $5\times\frac{7}{10}$ ($\frac{7}{10}\times\frac{5}{6}$) $\frac{7}{10}\times3$

원래 분수와 진분수를 곱하면 원래 분수보다 작아집니다.

3 1보다 큰 자연수 중에서 □ 안에 들어갈 수 있는 수를 모두 쓰세요.

$\frac{1}{20}<\frac{1}{6}\times\frac{1}{\square}$ 2, 3

$\frac{1}{3}\times\frac{1}{\square}>\frac{1}{15}$ 2, 3, 4

4 다음 수 카드 중 2장을 골라 분수의 곱셈식을 만들려고 합니다.

계산 결과가 가장 작은 식을 쓰고 계산하세요.

식 $\frac{1}{5}\times\frac{1}{6}=\frac{1}{30}$ (또는 $\frac{1}{6}\times\frac{1}{5}$) 답 $\frac{1}{30}$

계산 결과가 가장 큰 식을 쓰고 계산하세요.

식 $\frac{1}{2}\times\frac{1}{3}=\frac{1}{6}$ (또는 $\frac{1}{3}\times\frac{1}{2}$) 답 $\frac{1}{6}$

5 한 변이 1 m인 정사각형 종이를 가로와 세로를 각각 똑같이 나누었습니다. 색칠한 부분의 넓이는 얼마인가요? (단, 계산 결과는 기약분수로 나타냅니다.)

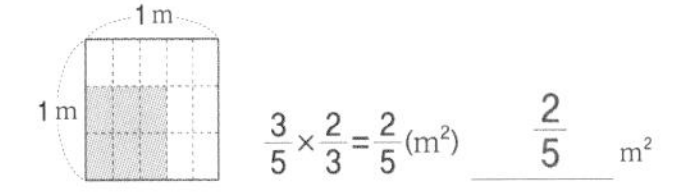

$\frac{3}{5}\times\frac{2}{3}=\frac{2}{5}(m^2)$ $\frac{2}{5}$ m^2

6 민호는 어제 책 한 권의 $\frac{1}{4}$만큼 읽었고, 오늘은 어제 읽고 난 나머지의 $\frac{1}{2}$만큼 읽었습니다. 민호가 오늘 읽은 책은 전체의 얼마인가요?

$\frac{3}{4}\times\frac{1}{2}=\frac{3}{8}$ $\frac{3}{8}$

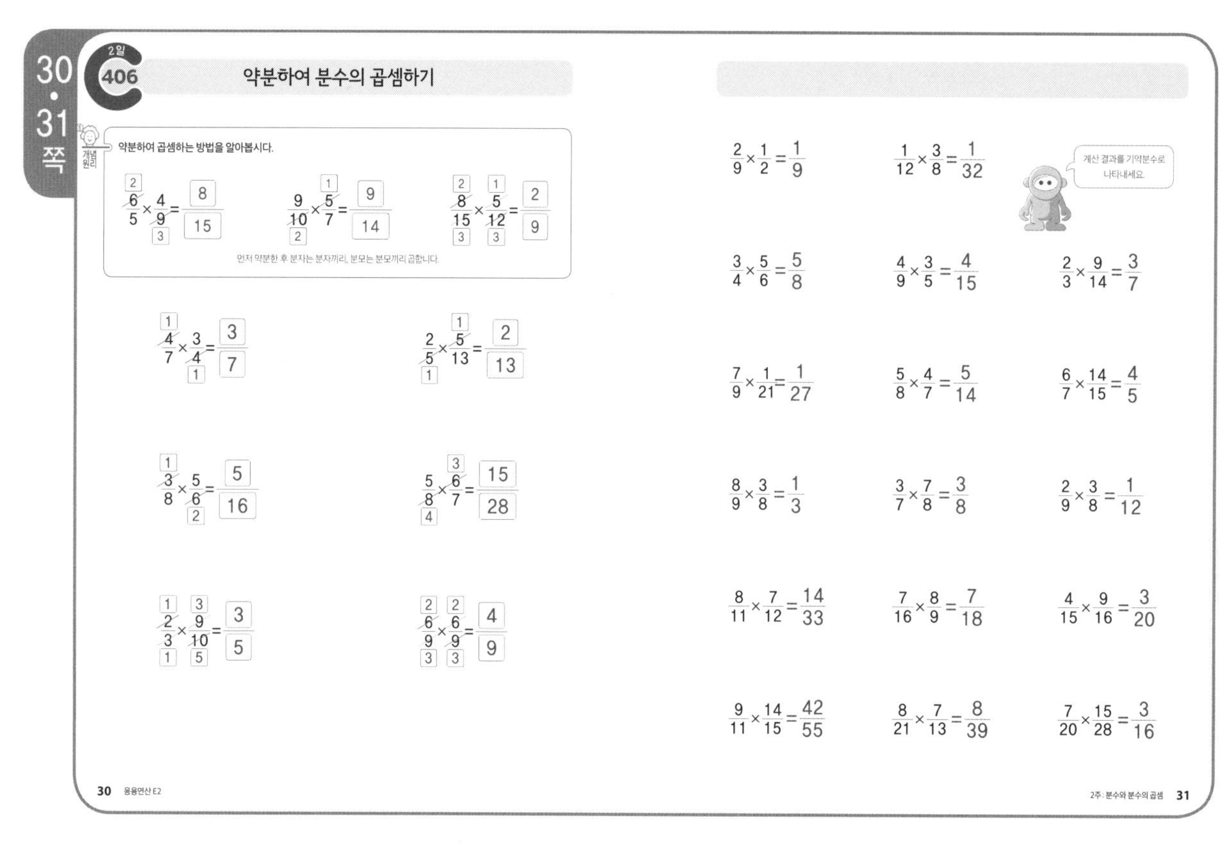

30·31 쪽

2일 406

약분하여 분수의 곱셈하기

개념원리 약분하여 곱셈하는 방법을 알아봅시다.

$\frac{6}{5} \times \frac{4}{9} = \frac{8}{15}$　$\frac{9}{10} \times \frac{5}{7} = \frac{9}{14}$　$\frac{8}{15} \times \frac{5}{12} = \frac{2}{9}$

먼저 약분한 후 분자는 분자끼리, 분모는 분모끼리 곱합니다.

$\frac{4}{7} \times \frac{3}{4} = \frac{3}{7}$　$\frac{2}{5} \times \frac{5}{13} = \frac{2}{13}$

$\frac{3}{8} \times \frac{5}{6} = \frac{5}{16}$　$\frac{5}{8} \times \frac{6}{7} = \frac{15}{28}$

$\frac{2}{3} \times \frac{9}{10} = \frac{3}{5}$　$\frac{6}{9} \times \frac{6}{9} = \frac{4}{9}$

$\frac{2}{9} \times \frac{1}{2} = \frac{1}{9}$　$\frac{1}{12} \times \frac{3}{8} = \frac{1}{32}$

$\frac{3}{4} \times \frac{5}{6} = \frac{5}{8}$　$\frac{4}{9} \times \frac{3}{5} = \frac{4}{15}$　$\frac{2}{3} \times \frac{9}{14} = \frac{3}{7}$

$\frac{7}{9} \times \frac{1}{21} = \frac{1}{27}$　$\frac{5}{8} \times \frac{4}{7} = \frac{5}{14}$　$\frac{6}{7} \times \frac{14}{15} = \frac{4}{5}$

$\frac{8}{9} \times \frac{3}{8} = \frac{1}{3}$　$\frac{3}{7} \times \frac{7}{8} = \frac{3}{8}$　$\frac{2}{9} \times \frac{3}{8} = \frac{1}{12}$

$\frac{8}{11} \times \frac{7}{12} = \frac{14}{33}$　$\frac{7}{16} \times \frac{8}{9} = \frac{7}{18}$　$\frac{4}{15} \times \frac{9}{16} = \frac{3}{20}$

$\frac{9}{11} \times \frac{14}{15} = \frac{42}{55}$　$\frac{8}{21} \times \frac{7}{13} = \frac{8}{39}$　$\frac{7}{20} \times \frac{15}{28} = \frac{3}{16}$

30 응용연산 E2　　2주: 분수와 분수의 곱셈 31

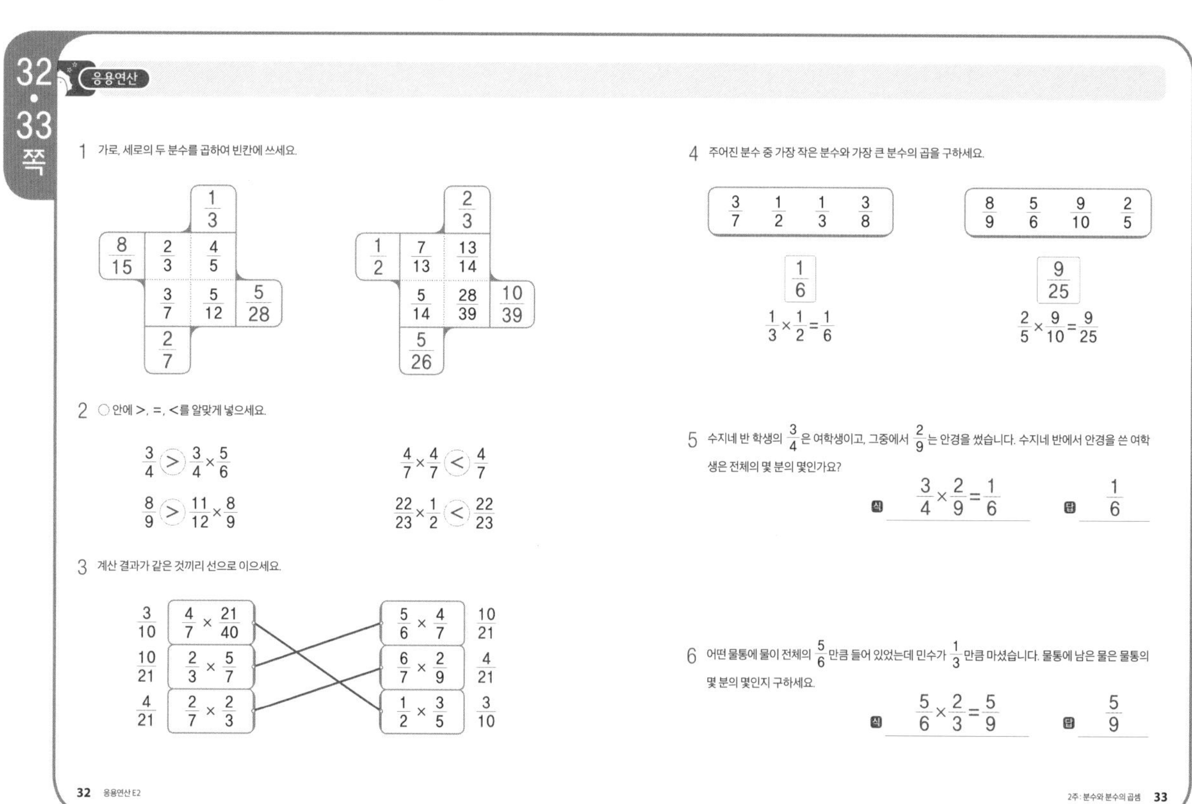

32·33 쪽

응용연산

1 가로, 세로의 두 분수를 곱하여 빈칸에 쓰세요.

		$\frac{1}{3}$	
$\frac{8}{15}$	$\frac{2}{3}$	$\frac{4}{5}$	
	$\frac{3}{7}$	$\frac{5}{12}$	$\frac{5}{28}$
	$\frac{2}{7}$		

		$\frac{2}{3}$	
$\frac{1}{2}$	$\frac{7}{13}$	$\frac{13}{14}$	
	$\frac{5}{14}$	$\frac{28}{39}$	$\frac{10}{39}$
	$\frac{5}{26}$		

2 ○ 안에 >, =, <를 알맞게 넣으세요.

$\frac{3}{4} > \frac{3}{4} \times \frac{5}{6}$　$\frac{4}{7} \times \frac{4}{7} < \frac{4}{7}$

$\frac{8}{9} > \frac{11}{12} \times \frac{8}{9}$　$\frac{22}{23} \times \frac{1}{2} < \frac{22}{23}$

3 계산 결과가 같은 것끼리 선으로 이으세요.

$\frac{3}{10}$ $\frac{4}{7} \times \frac{21}{40}$　　$\frac{5}{6} \times \frac{4}{7}$ $\frac{10}{21}$

$\frac{10}{21}$ $\frac{2}{3} \times \frac{5}{7}$　　$\frac{6}{7} \times \frac{2}{9}$ $\frac{4}{21}$

$\frac{4}{21}$ $\frac{2}{7} \times \frac{2}{3}$　　$\frac{1}{2} \times \frac{3}{5}$ $\frac{3}{10}$

4 주어진 분수 중 가장 작은 분수와 가장 큰 분수의 곱을 구하세요.

$\frac{3}{7}$ $\frac{1}{2}$ $\frac{1}{3}$ $\frac{3}{8}$ → $\frac{1}{6}$, $\frac{1}{3} \times \frac{1}{2} = \frac{1}{6}$

$\frac{8}{9}$ $\frac{5}{6}$ $\frac{9}{10}$ $\frac{2}{5}$ → $\frac{9}{25}$, $\frac{2}{5} \times \frac{9}{10} = \frac{9}{25}$

5 수지네 반 학생의 $\frac{3}{4}$은 여학생이고, 그중에서 $\frac{2}{9}$는 안경을 썼습니다. 수지네 반에서 안경을 쓴 여학생은 전체의 몇 분의 몇인가요?

식 $\frac{3}{4} \times \frac{2}{9} = \frac{1}{6}$　답 $\frac{1}{6}$

6 어떤 물통에 물이 전체의 $\frac{5}{6}$ 만큼 들어 있었는데 민수가 $\frac{1}{3}$ 만큼 마셨습니다. 물통에 남은 물은 물통의 몇 분의 몇인지 구하세요.

식 $\frac{5}{6} \times \frac{2}{3} = \frac{5}{9}$　답 $\frac{5}{9}$

32 응용연산 E2　　2주: 분수와 분수의 곱셈 33

34·35쪽

3일 407

대분수의 곱셈

개념 원리

대분수의 곱셈을 알아봅시다.

$2\frac{2}{3}\times1\frac{2}{5}=\frac{8}{3}\times\frac{7}{5}=\frac{56}{15}=3\frac{11}{15}$ 대분수를 가분수로 바꾸어 계산합니다.

$1\frac{3}{4}\times2\frac{3}{7}=\frac{\cancel{7}^{1}}{4}\times\frac{17}{\cancel{7}_{1}}=\frac{17}{4}=4\frac{1}{4}$ 대분수를 가분수로 바꾼 후, 약분할 수 있으면 먼저 약분한 후 계산합니다.

$1\frac{3}{5}\times1\frac{1}{3}=\frac{8}{5}\times\frac{4}{3}=\frac{32}{15}=2\frac{2}{15}$

$3\frac{1}{2}\times2\frac{1}{7}=\frac{\cancel{7}^{1}}{2}\times\frac{15}{\cancel{7}_{1}}=\frac{15}{2}=7\frac{1}{2}$

$2\frac{4}{5}\times1\frac{7}{8}=\frac{\cancel{14}^{7}}{\cancel{5}_{1}}\times\frac{\cancel{15}^{3}}{\cancel{8}_{4}}=\frac{21}{4}=5\frac{1}{4}$

$1\frac{2}{5}\times\frac{1}{5}=\frac{7}{25}$ $\quad$ $\frac{5}{6}\times3\frac{1}{2}=2\frac{11}{12}$

$3\frac{1}{4}\times\frac{7}{13}=1\frac{3}{4}$ $\quad$ $\frac{5}{8}\times5\frac{1}{3}=3\frac{1}{3}$

$\frac{5}{16}\times2\frac{2}{15}=\frac{2}{3}$ $\quad$ $5\frac{3}{5}\times\frac{4}{7}=3\frac{1}{5}$

$1\frac{4}{5}\times1\frac{7}{8}=3\frac{3}{8}$ $\quad$ $1\frac{1}{14}\times1\frac{2}{5}=1\frac{1}{2}$

$1\frac{1}{8}\times1\frac{5}{9}=1\frac{3}{4}$ $\quad$ $1\frac{1}{15}\times2\frac{5}{8}=2\frac{4}{5}$

$3\frac{3}{4}\times1\frac{3}{5}=6$ $\quad$ $3\frac{3}{8}\times6\frac{2}{3}=22\frac{1}{2}$

36·37쪽

응용연산

1 5보다 크면 위쪽, 5보다 작으면 오른쪽으로 가는 길을 그리세요.

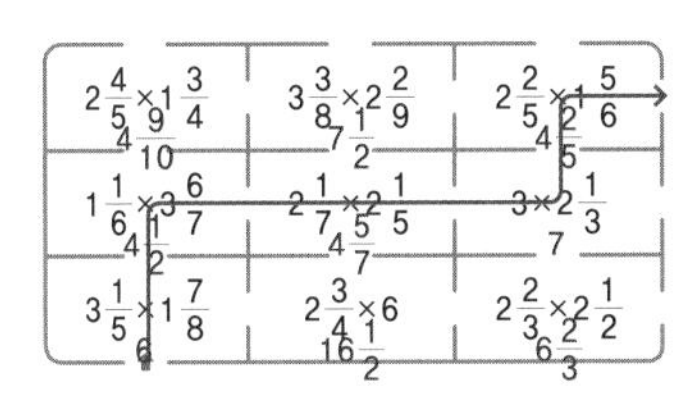

2 ○안에 >, =, <를 알맞게 넣으세요.

$\frac{4}{5} < \frac{4}{5}\times1\frac{1}{2}$ $\quad$ $1\frac{1}{4}\times\frac{2}{3} < 1\frac{1}{4}$

$\frac{6}{7} < \frac{9}{8}\times\frac{6}{7}$ $\quad$ $\frac{5}{8}\times2\frac{1}{5} > \frac{5}{8}$

원래 분수에 1보다 큰 수를 곱하면 원래 분수보다 커지고, 원래 분수에 1보다 작은 수를 곱하면 원래 분수보다 작아집니다.

3 □안에 알맞은 수를 쓰세요.

$1\frac{3}{5}\times\frac{10}{8}=2$ $\quad$ $3\frac{1}{2}\times\frac{2}{21}=\frac{1}{3}$

$2\frac{1}{4}\times\frac{4}{45}=\frac{1}{5}$ $\quad$ $\frac{9}{22}\times3\frac{2}{3}=1\frac{1}{2}$

4 수 카드 3장을 각각 한 번씩 사용하여 만들 수 있는 가장 큰 대분수와 가장 작은 대분수의 곱을 구하세요.

3 4 2

식 $4\frac{2}{3}\times2\frac{3}{4}=12\frac{5}{6}$ 답 $12\frac{5}{6}$

5 직사각형 가와 정사각형 나 중에서 어느 것이 더 넓나요?

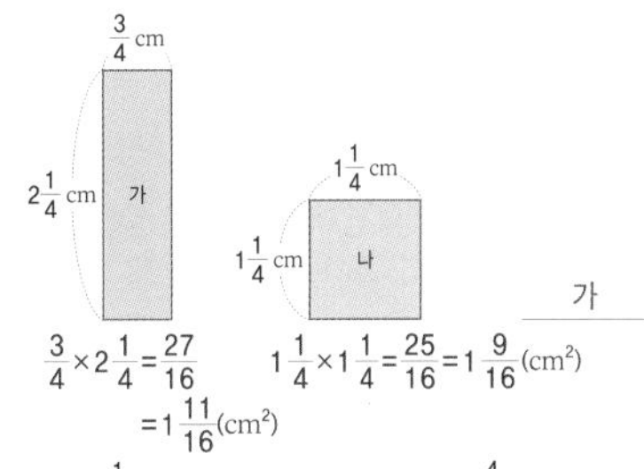

$\frac{3}{4}\times2\frac{1}{4}=\frac{27}{16}=1\frac{11}{16}(\text{cm}^2)$ $\quad$ $1\frac{1}{4}\times1\frac{1}{4}=\frac{25}{16}=1\frac{9}{16}(\text{cm}^2)$

가

6 민지는 한 시간에 $4\frac{1}{5}$ km를 걷습니다. 같은 빠르기로 걷는다면 $2\frac{4}{7}$ 시간 동안 몇 km를 걸을 수 있나요?

식 $4\frac{1}{5}\times2\frac{4}{7}=10\frac{4}{5}$ 답 $10\frac{4}{5}$ km

38 · 39쪽

4일 408

세 분수의 곱셈

개념원리

세 분수의 곱셈을 알아봅시다.

$\frac{\cancel{5}^{1}}{\cancel{6}_{2}}\times\frac{7}{\cancel{15}_{3}}\times\frac{\cancel{3}^{1}}{8}=\frac{1\times7\times1}{2\times3\times8}=\frac{7}{48}$

먼저 약분한 후 분자는 분자끼리, 분모는 분모끼리 모두 곱합니다.

$1\frac{1}{3}\times9\times\frac{7}{10}=\frac{\cancel{4}^{2}}{\cancel{3}_{1}}\times\frac{\cancel{9}^{3}}{1}\times\frac{7}{\cancel{10}_{5}}$

$=\frac{2\times3\times7}{1\times1\times5}=\frac{42}{5}=8\frac{2}{5}$

대분수는 가분수로 고쳐 계산합니다. 자연수 9는 $\frac{9}{1}$와 같이 생각하여 분자에 곱합니다.

$\frac{1}{\cancel{3}_{1}}\times\frac{\cancel{5}^{1}}{8}\times\frac{\cancel{9}^{3}}{\cancel{20}_{4}}=\frac{1\times1\times3}{1\times8\times4}=\frac{3}{32}$

$8\times\frac{13}{21}\times1\frac{3}{4}=\frac{\cancel{8}^{2}}{1}\times\frac{13}{\cancel{21}_{3}}\times\frac{\cancel{7}^{1}}{\cancel{4}_{1}}$

$=\frac{2\times13\times1}{1\times3\times1}=\frac{26}{3}=8\frac{2}{3}$

$\frac{2}{3}\times\frac{5}{8}\times\frac{3}{10}=\frac{1}{8}$

$\frac{2}{7}\times\frac{3}{5}\times\frac{3}{4}=\frac{9}{70}$

$\frac{5}{8}\times\frac{9}{10}\times\frac{5}{12}=\frac{15}{64}$

$\frac{5}{6}\times\frac{3}{8}\times\frac{3}{8}=\frac{15}{128}$

$\frac{2}{9}\times7\times\frac{3}{11}=\frac{14}{33}$

$\frac{3}{5}\times\frac{5}{7}\times5=\frac{15}{7}=2\frac{1}{7}$

$1\frac{1}{5}\times\frac{2}{3}\times\frac{3}{4}=\frac{3}{5}$

$\frac{4}{7}\times\frac{7}{8}\times1\frac{3}{4}=\frac{7}{8}$

$1\frac{1}{2}\times2\times\frac{1}{3}=1$

$6\times\frac{5}{12}\times1\frac{1}{3}=3\frac{1}{3}$

$2\frac{2}{7}\times1\frac{5}{6}\times\frac{3}{8}=1\frac{4}{7}$

$2\frac{2}{5}\times3\times3\frac{2}{3}=26\frac{2}{5}$

40 · 41쪽

응용연산

1 □ 안에 알맞은 수를 쓰세요. (단, 분수는 기약분수로 나타냅니다.)

$\frac{1}{6}\times\frac{4}{5}\times\frac{3}{8}=(\frac{1}{6}\times\frac{4}{5})\times\frac{3}{8}=\frac{2}{15}\times\frac{3}{8}=\frac{1}{20}$

$\frac{1}{6}\times\frac{4}{5}\times\frac{3}{8}=\frac{1}{6}\times(\frac{4}{5}\times\frac{3}{8})=\frac{1}{6}\times\frac{3}{10}=\frac{1}{20}$

2 계산 결과가 큰 것부터 차례로 기호를 쓰세요.

㉠ $\frac{5}{6}$　㉡ $\frac{5}{6}\times\frac{2}{3}$　㉢ $\frac{5}{6}\times\frac{2}{3}\times\frac{9}{10}$

㉣ $\frac{5}{6}\times1\frac{1}{4}$　㉤ $\frac{5}{6}\times1\frac{1}{4}\times2\frac{2}{3}$

㉤ - ㉣ - ㉠ - ㉡ - ㉢

원래 분수에 진분수를 곱하면 원래 분수보다 작아지고, 원래 분수에 대분수를 곱하면 원래 분수보다 커집니다.

3 관계있는 것끼리 선으로 이으세요.

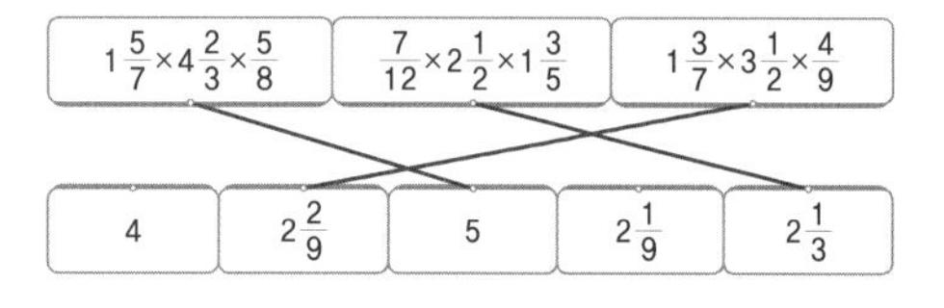

4 1보다 큰 자연수 중에서 □ 안에 들어갈 수 있는 수를 모두 쓰세요.

$\frac{7}{16}\times\frac{2}{21}<\frac{1}{2}\times\frac{1}{3}\times\frac{1}{□}$

$\frac{1}{24}$　2, 3　$\frac{1}{6\times□}$

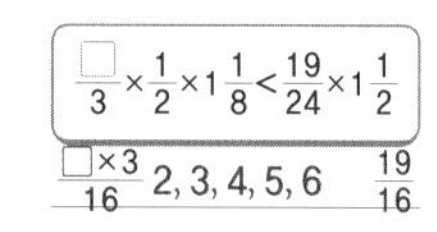

$\frac{□\times3}{16}$　2, 3, 4, 5, 6　$\frac{19}{16}$

5 수 카드를 한 번씩만 사용하여 3개의 진분수를 만들어 곱할 때, 계산 결과가 가장 작은 곱셈식을 쓰고 계산하세요.

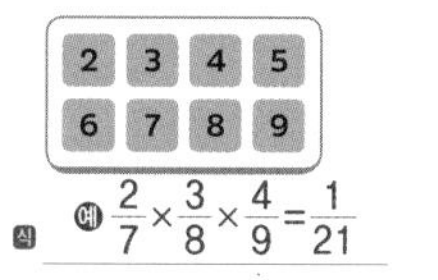

식 예 $\frac{2}{7}\times\frac{3}{8}\times\frac{4}{9}=\frac{1}{21}$　답 $\frac{1}{21}$

6 승희는 하루 24시간 중 $\frac{1}{6}$을 공부를 하고, 그중 $\frac{3}{8}$은 수학을 공부합니다. 승희가 하루에 수학 공부를 하는 시간은 몇 시간인가요?

식 $24\times\frac{1}{6}\times\frac{3}{8}=\frac{3}{2}=1\frac{1}{2}$　답 $1\frac{1}{2}$ 시간

42・43쪽 5일 형성평가

1 바르게 계산한 학생의 이름을 쓰세요.

진우: $\frac{2}{3}\times4=\frac{2\times4}{3\times4}=\frac{8}{12}=\frac{2}{3}$

수영: $\frac{2}{3}\times4=\frac{2}{3\times4}=\frac{2}{12}=\frac{1}{6}$

하늘: $\frac{2}{3}\times4=\frac{2\times4}{3}=\frac{8}{3}=2\frac{2}{3}$

하늘

2 빈칸에 알맞은 분수를 쓰세요.

	× →	
$\frac{5}{8}$	$\frac{5}{6}$	$\frac{25}{48}$
$\frac{2}{5}$	$\frac{3}{10}$	$\frac{3}{25}$
$\frac{1}{4}$	$\frac{1}{4}$	

3 수 카드 5장 중 2장을 골라 분자가 1인 분수의 곱셈식을 만들려고 합니다. 계산 결과가 가장 작은 식과 가장 큰 식을 쓰고 계산하세요.

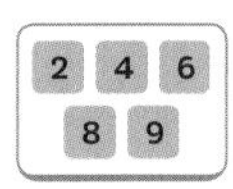

가장 작은 식: 식 $\frac{1}{8}\times\frac{1}{9}=\frac{1}{72}$ (또는 9, 8)　답 $\frac{1}{72}$

가장 큰 식: 식 $\frac{1}{2}\times\frac{1}{4}=\frac{1}{8}$ (또는 4, 2)　답 $\frac{1}{8}$

4 정우네 반 학생의 $\frac{2}{5}$는 남학생이고, 그중에서 $\frac{3}{4}$은 축구를 좋아합니다. 정우네 반에서 축구를 좋아하는 남학생은 전체의 몇 분의 몇인가요?

식 $\frac{2}{5}\times\frac{3}{4}=\frac{3}{10}$　답 $\frac{3}{10}$

5 □ 안에 알맞은 수를 쓰세요.

$1\frac{1}{3}\times\frac{1}{4}=\frac{1}{3}$　　$2\frac{2}{5}\times\frac{5}{6}=2$

$\frac{5}{7}\times1\frac{2}{5}=1$　　$\frac{2}{3}\times3\frac{3}{4}=2\frac{1}{2}$

6 정사각형 가와 직사각형 나 중에서 어느 것이 더 넓나요?

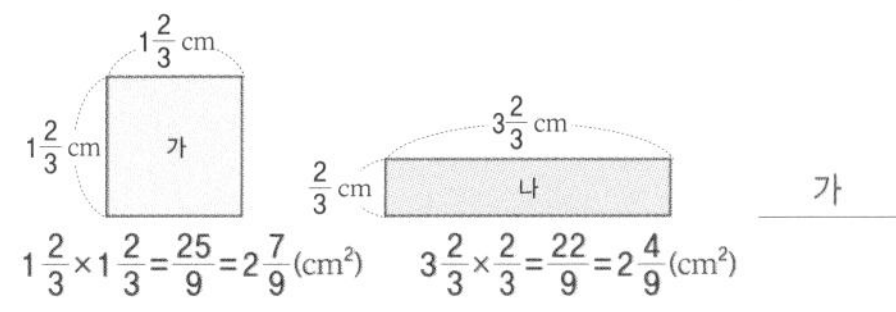

가

$1\frac{2}{3}\times1\frac{2}{3}=\frac{25}{9}=2\frac{7}{9}(cm^2)$　$3\frac{2}{3}\times\frac{2}{3}=\frac{22}{9}=2\frac{4}{9}(cm^2)$

44쪽

7 □ 안에 알맞은 수를 쓰세요. (단, 분수는 기약분수로 나타냅니다.)

$\frac{3}{5}\times\frac{4}{9}\times\frac{5}{12}=(\frac{3}{5}\times\frac{4}{9})\times\frac{5}{12}=\frac{4}{15}\times\frac{5}{12}=\frac{1}{9}$

$\frac{3}{5}\times\frac{4}{9}\times\frac{5}{12}=\frac{3}{5}\times(\frac{4}{9}\times\frac{5}{12})=\frac{3}{5}\times\frac{5}{27}=\frac{1}{9}$

$\frac{3}{5}\times\frac{4}{9}\times\frac{5}{12}=\frac{3\times4\times5}{5\times9\times12}=\frac{1}{9}$

8 계산 결과가 큰 것부터 차례로 기호를 쓰세요.

㉠ $\frac{3}{4}\times1\frac{1}{7}$　㉡ $\frac{3}{4}$　㉢ $\frac{3}{4}\times\frac{5}{6}$

㉣ $\frac{3}{4}\times1\frac{1}{7}\times1\frac{2}{5}$　㉤ $\frac{3}{4}\times\frac{5}{6}\times\frac{4}{5}$

㉣ - ㉠ - ㉡ - ㉢ - ㉤

9 민혁이는 오늘 하루 24시간 중 $\frac{1}{4}$을 공부를 했고, 그중 $\frac{3}{10}$은 영어 공부를 하였습니다. 민혁이가 오늘 하루 영어 공부를 한 시간은 몇 시간인가요?

식 $24\times\frac{1}{4}\times\frac{3}{10}=1\frac{4}{5}$　답 $1\frac{4}{5}$ 시간

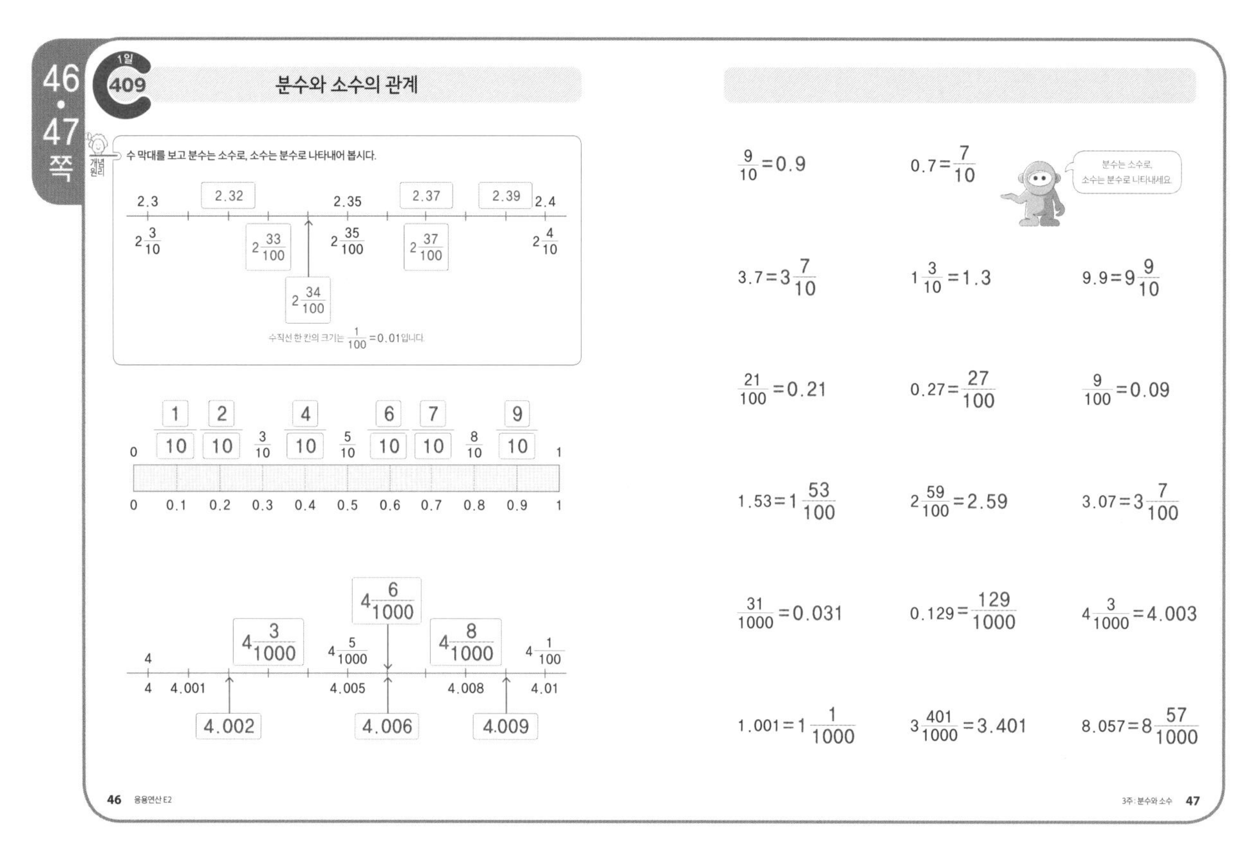
46·47쪽
409 분수와 소수의 관계
수 막대를 보고 분수는 소수로, 소수는 분수로 나타내어 봅시다.
수직선 한 칸의 크기는 1/100 = 0.01입니다.
9/10 = 0.9
0.7 = 7/10
분수는 소수로, 소수는 분수로 나타내세요.
3.7 = 3 7/10
1 3/10 = 1.3
9.9 = 9 9/10
21/100 = 0.21
0.27 = 27/100
9/100 = 0.09
1.53 = 1 53/100
2 59/100 = 2.59
3.07 = 3 7/100
31/1000 = 0.031
0.129 = 129/1000
4 3/1000 = 4.003
1.001 = 1 1/1000
3 401/1000 = 3.401
8.057 = 8 57/1000
46 응용연산 E2
3주: 분수와 소수 47

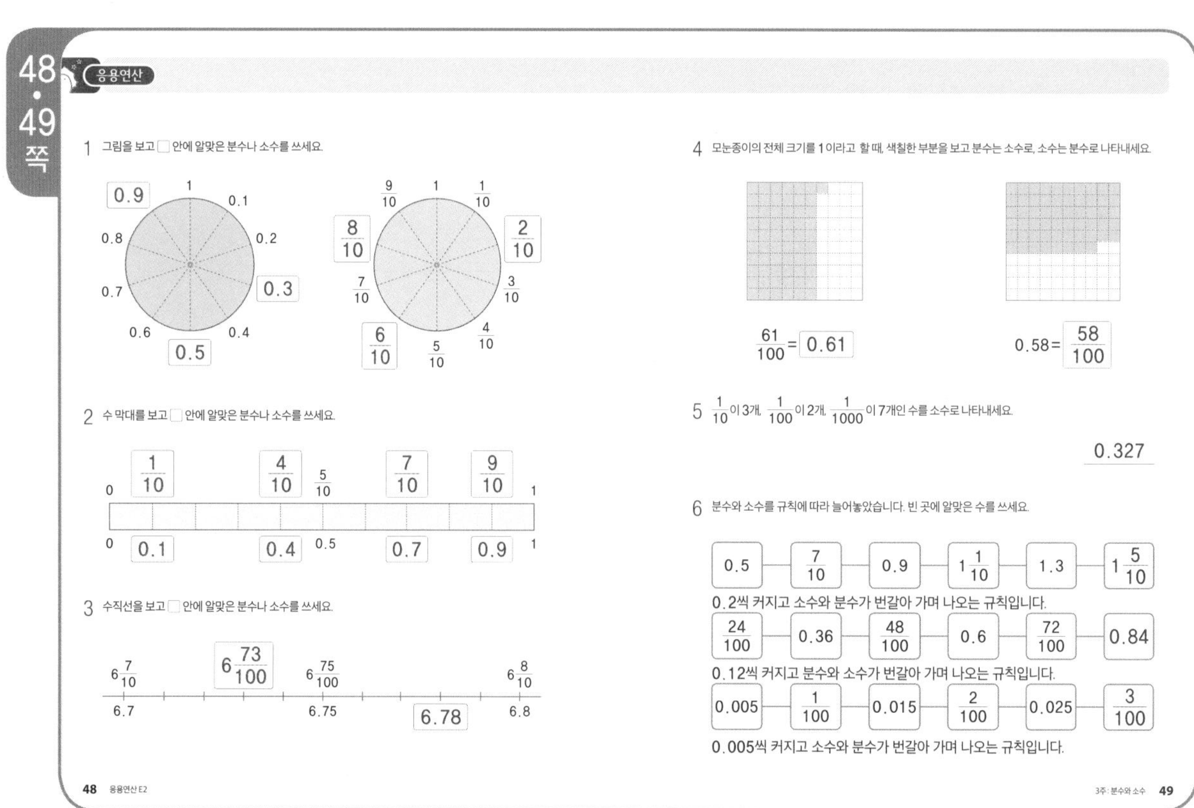
48·49쪽
응용연산
1 그림을 보고 안에 알맞은 분수나 소수를 쓰세요.
2 수 막대를 보고 안에 알맞은 분수나 소수를 쓰세요.
3 수직선을 보고 안에 알맞은 분수나 소수를 쓰세요.
4 모눈종이의 전체 크기를 1이라고 할 때, 색칠한 부분을 보고 분수는 소수로, 소수는 분수로 나타내세요.
61/100 = 0.61
0.58 = 58/100
5 1/10이 3개, 1/100이 2개, 1/1000이 7개인 수를 소수로 나타내세요.
0.327
6 분수와 소수를 규칙에 따라 늘어놓았습니다. 빈 곳에 알맞은 수를 쓰세요.
0.2씩 커지고 소수와 분수가 번갈아 가며 나오는 규칙입니다.
0.12씩 커지고 분수와 소수가 번갈아 가며 나오는 규칙입니다.
0.005씩 커지고 소수와 분수가 번갈아 가며 나오는 규칙입니다.
48 응용연산 E2
3주: 분수와 소수 49

50·51쪽

2일 410

분수를 소수로 나타내기

개념원리 분수를 소수로 나타냅니다.

$\frac{1}{5}=\frac{1\times 2}{5\times 2}=\frac{2}{10}=0.2$

$\frac{3}{4}=\frac{3\times 25}{4\times 25}=\frac{75}{100}=0.75$

$2\frac{14}{125}=2+\frac{14}{125}=2+\frac{14\times 8}{125\times 8}=2+\frac{112}{1000}=2.112$

분수를 소수로 나타낼 때에는 분모를 10, 100, 1000, ……인 분수로 고친 뒤 소수로 나타냅니다.

$\frac{1}{2}=\frac{1\times 5}{2\times 5}=\frac{5}{10}=0.5$ $\frac{3}{25}=\frac{3\times 4}{25\times 4}=\frac{12}{100}=0.12$

$\frac{3}{5}=\frac{3\times 2}{5\times 2}=\frac{6}{10}=0.6$ $\frac{7}{20}=\frac{7\times 5}{20\times 5}=\frac{35}{100}=0.35$

$3\frac{27}{50}=3+\frac{27}{50}=3+\frac{27\times 2}{50\times 2}=3+\frac{54}{100}=3.54$

$\frac{1}{2}=0.5$ $\frac{4}{5}=0.8$

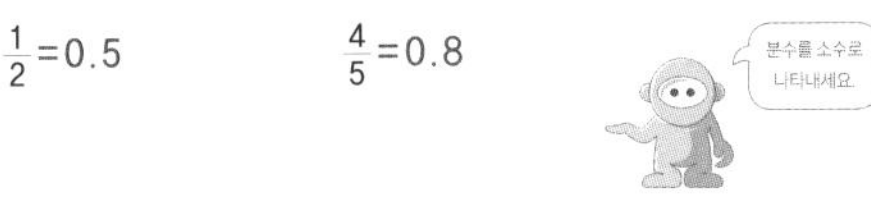

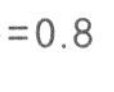

$\frac{1}{4}=0.25$ $\frac{7}{25}=0.28$ $\frac{9}{50}=0.18$

$\frac{1}{8}=0.125$ $\frac{1}{200}=0.005$ $\frac{1}{125}=0.008$

$3\frac{1}{2}=3.5$ $2\frac{2}{5}=2.4$ $5\frac{4}{5}=5.8$

$3\frac{3}{4}=3.75$ $2\frac{9}{20}=2.45$ $9\frac{11}{25}=9.44$

$1\frac{7}{8}=1.875$ $3\frac{19}{250}=3.076$ $2\frac{11}{125}=2.088$

52·53쪽

응용연산

1 분수와 소수가 서로 같은 것끼리 선으로 이으세요.

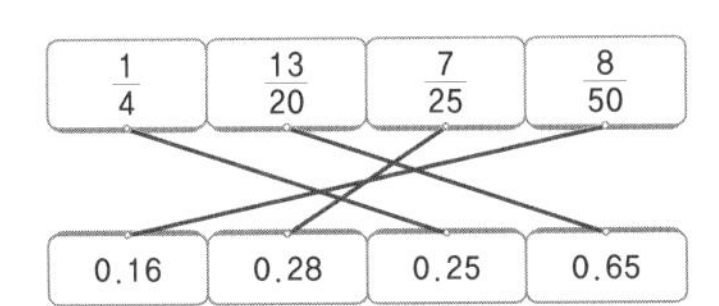

2 소수로 고칠 때 나누어떨어져서 간단한 소수로 나타낼 수 있는 분수에 모두 ○표 하세요.

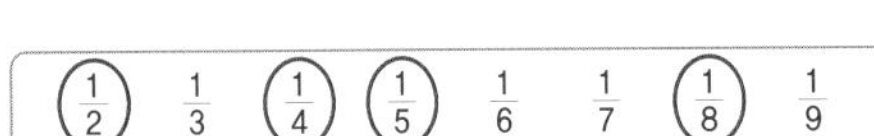

3 분모와 분자에 같은 수를 곱하여 분모가 10 또는 100인 분수로 고칠 수 있는 분수에 모두 ○표 하세요.

(① $\frac{1}{2}$) $\frac{2}{3}$ (③ $\frac{3}{5}$) $\frac{5}{6}$ $\frac{3}{8}$

4 분수를 소수로 고치는 과정입니다. 틀린 곳을 찾아 바르게 계산하세요.

$4\frac{21}{50}=4+\frac{21}{50}=4+\frac{21\times 3}{50\times 2}=4+\frac{63}{100}=4.63$

$4+\frac{21\times 2}{50\times 2}=4+\frac{42}{100}=4.42$

5 수 카드 6장 중 3장을 한 번씩 사용하여 소수로 고칠 수 있는 가장 큰 분수를 만들려고 합니다. 2장으로는 분모를 만들고 나머지 한 장으로는 분자를 만들 때 가장 큰 분수를 소수로 나타내세요.

$\frac{6}{12}$ 0.5

6 민수는 선물을 포장하는 데에 3 m짜리 끈의 $\frac{1}{5}$을 사용했습니다. 남은 끈은 몇 m인지 소수로 나타내세요.

2.4 m

$\frac{1}{5}$을 쓰고 남은 것은 전체의 $\frac{4}{5}$입니다.

3 m의 $\frac{1}{5}$은 0.6 m이므로 3 m의 $\frac{4}{5}$는 $0.6\times 4=2.4$(m)입니다.

54・55쪽

3일 411 소수를 분수로 나타내기

개념원리 소수를 분수로 나타내어 봅시다.

$0.2=\frac{2}{10}=\frac{1}{5}$ $0.24=\frac{24}{100}=\frac{6}{25}$

$6.42=6\frac{42}{100}=6\frac{21}{50}$ $2.125=2\frac{125}{1000}=2\frac{1}{8}$

소수를 분수로 나타낼 때에는 분모를 10, 100, 1000, ……인 분수로 고친 뒤 약분하여 기약분수로 나타냅니다.

$0.6=\frac{6}{10}=\frac{3}{5}$ $3.2=3\frac{2}{10}=3\frac{1}{5}$

$0.35=\frac{35}{100}=\frac{7}{20}$ $4.28=4\frac{28}{100}=4\frac{7}{25}$

$0.725=\frac{725}{1000}=\frac{29}{40}$ $3.025=3\frac{25}{1000}=3\frac{1}{40}$

소수를 기약분수로 나타내세요.

$0.4=\frac{2}{5}$ $0.5=\frac{1}{2}$

$1.6=1\frac{3}{5}$ $3.8=3\frac{4}{5}$ $9.4=9\frac{2}{5}$

$0.25=\frac{1}{4}$ $0.38=\frac{19}{50}$ $0.48=\frac{12}{25}$

$1.98=1\frac{49}{50}$ $3.02=3\frac{1}{50}$ $4.75=4\frac{3}{4}$

$0.422=\frac{211}{500}$ $0.035=\frac{7}{200}$ $0.008=\frac{1}{125}$

$5.005=5\frac{1}{200}$ $7.016=7\frac{2}{125}$ $3.175=3\frac{7}{40}$

54 응용연산 E2　　3주: 분수와 소수 55

56・57쪽

응용연산

1 소수와 분수가 서로 같은 것끼리 선으로 이으세요.

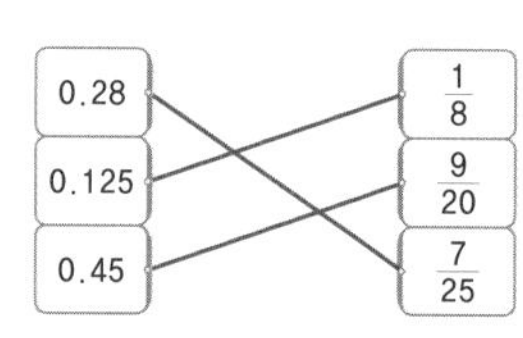

2 기약분수로 나타냈을 때 분모가 같은 소수를 찾아 기호를 쓰세요.

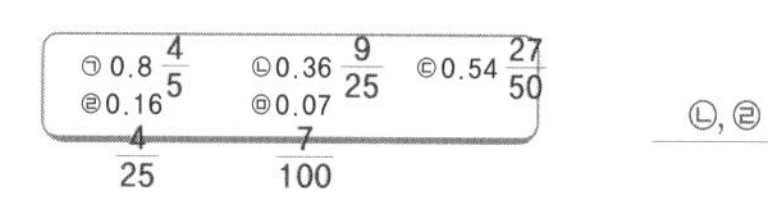

㉡, ㉣

3 조건을 만족하는 분수를 구하세요.

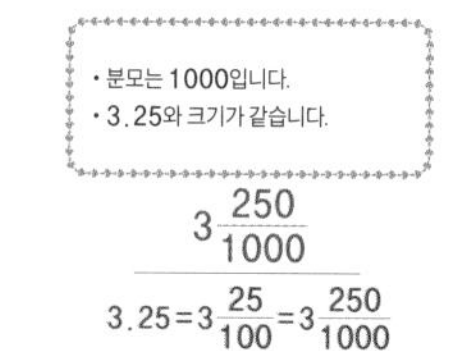

• 분모는 1000입니다.
• 3.25와 크기가 같습니다.

$3\frac{250}{1000}$

$3.25=3\frac{25}{100}=3\frac{250}{1000}$

• 소수로 고치면 1.006이 됩니다.
• 기약분수로 나타내면 분자가 3이 됩니다.

$1\frac{3}{500}$

$1.006=1\frac{6}{1000}=1\frac{3}{500}$

4 5장의 카드를 한 번씩 모두 사용하여 조건에 맞는 소수를 만들고 기약분수로 나타내세요.

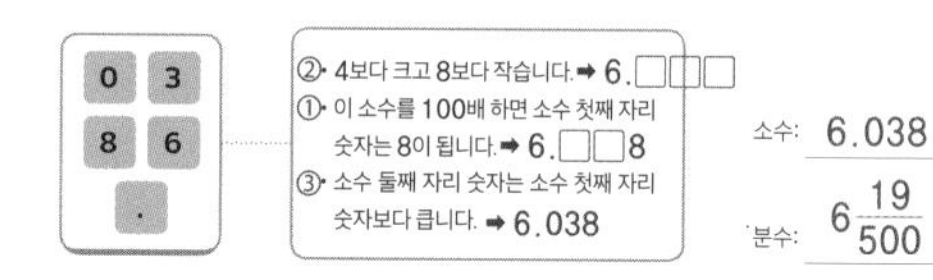

0 3 8 6 .
② 4보다 크고 8보다 작습니다. ➡ 6.□□□
① 이 소수를 100배 하면 소수 첫째 자리 숫자는 8이 됩니다. ➡ 6.□□8
③ 소수 둘째 자리 숫자는 소수 첫째 자리 숫자보다 큽니다. ➡ 6.038

소수: 6.038

분수: $6\frac{19}{500}$

5 ㉠, ㉡, ㉢ 3개의 돌이 있습니다. ㉠의 무게는 2 kg이고, ㉡의 무게는 ㉠의 무게의 0.6배, ㉢의 무게는 ㉠의 무게의 1.2배입니다. ㉡과 ㉢의 무게는 각각 몇 kg인지 구하고 기약분수로 나타내세요.

㉡: $1\frac{1}{5}$ kg (=1.2), ㉢: $2\frac{2}{5}$ kg (=2.4)

2 kg의 0.1배는 0.2 kg입니다.

6 소희는 모빌을 만드는 데 1 m에 0.15 kg인 끈을 0.4 m 사용하였습니다. 소희가 사용한 끈의 무게는 몇 kg인지 구하고 기약분수로 나타내세요.

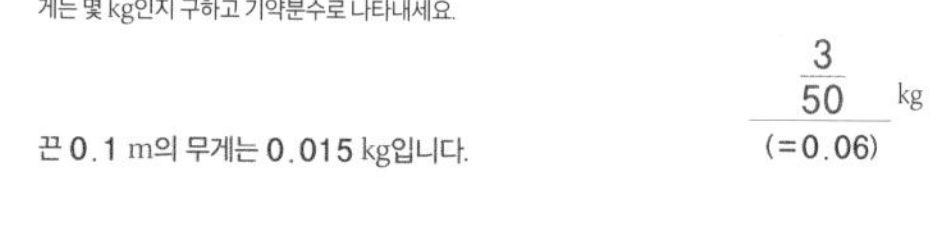

$\frac{3}{50}$ kg (=0.06)

끈 0.1 m의 무게는 0.015 kg입니다.

56 응용연산 E2　　3주: 분수와 소수 57

58·59쪽

4일 C 412 분수와 소수의 크기 비교

개념원리: 분수와 소수의 크기를 비교하는 방법을 알아봅시다.

1.5 ○ $1\frac{1}{5}$ → 1.5 (>) 1.2
분수를 소수로 고쳐 소수끼리 비교합니다.

0.64 ○ $\frac{71}{100}$ → $\frac{64}{100}$ (<) $\frac{71}{100}$
소수를 분수로 고쳐 분수끼리 비교합니다.

0.9 ○ $\frac{4}{5}$ → 0.9 (>) 0.8

2.4 ○ $2\frac{4}{7}$ → $2\frac{4}{10}$ (<) $2\frac{4}{7}$

1.61 ○ $1\frac{5}{8}$ → 1.61 (<) 1.625

0.09 ○ $\frac{23}{300}$ → $\frac{27}{300}$ (>) $\frac{23}{300}$

0.5 (>) $\frac{1}{5}$ (0.2)　$\frac{1}{2}$ (>) 0.3 (0.5)　0.7 (<) $\frac{7}{8}$ (0.875)

$1\frac{9}{10}$ (>) 1.88 (1.9)　$1\frac{3}{5}$ (<) 1.7 (1.6)　$1\frac{1}{2}$ (>) 1.2 (1.5)

0.15 (>) $\frac{7}{50}$ (0.14)　$\frac{51}{100}$ (<) 0.57 (0.51)　0.23 (<) $\frac{6}{25}$ (0.24)

$1\frac{24}{25}$ (=) 1.96 (1.96)　1.71 (>) $1\frac{7}{20}$ (1.35)　$5\frac{9}{50}$ (<) 5.19 (5.18)

0.127 (>) $\frac{1}{8}$ (0.125)　0.445 (>) $\frac{111}{250}$ (0.444)　0.251 (<) $\frac{127}{500}$ (0.254)

$1\frac{3}{8}$ (<) 1.803 (1.375)　3.036 (<) $3\frac{9}{200}$ (3.045)　$2\frac{7}{8}$ (>) 2.725 (2.875)

60·61쪽

응용연산

1 분수와 소수의 크기를 비교하여 큰 수부터 차례로 쓰세요.

1.2　$\frac{8}{10}$ (0.8)　0.7　$1\frac{2}{5}$ (1.4)

답: $1\frac{2}{5}$, 1.2, $\frac{8}{10}$, 0.7

2 4.35보다 큰 분수를 모두 찾아 ○표 하세요.

$4\frac{3}{10}$ (4.3)　($4\frac{3}{5}$) (4.6)　$4\frac{7}{20}$ (4.35)　($5\frac{1}{8}$) (5.125)　$4\frac{6}{25}$ (4.24)

3 □ 안에 알맞은 수를 쓰세요.

$15 < 15\frac{1}{2} < 15\frac{5}{8} < 15.75$
15.5　15.625

4 □ 안에 들어갈 수 있는 자연수를 모두 쓰세요.

$\frac{□}{25} < 0.1$

$\frac{□\times4}{25\times4} = \frac{□\times4}{100} < 0.1$
□=1, 2

답: 1, 2

5 2.91보다 크고 3보다 작은 분모가 100인 분수는 모두 몇 개인가요?

$2.91 < 2\frac{□}{100} < 3$
□=92, 93, 94, ……, 99

답: 8 개

6 승희는 1 L짜리 우유의 0.6 L를 마셨고, 호영이는 2 L짜리 우유의 $\frac{3}{5}$을 마셨습니다. 우유가 더 많이 남은 사람은 누구인가요?

남은 우유 ┌ 승희: 0.4 L
　　　　　└ 호영: 0.8 L

답: 호영

62·63쪽

5일 형성평가

1 수 막대를 보고 □ 안에 알맞은 분수나 소수를 쓰세요.

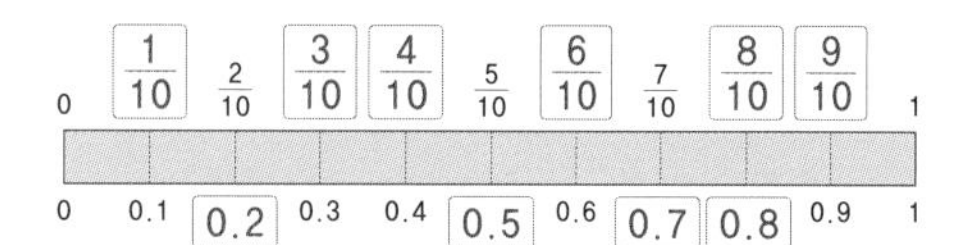

$\frac{1}{10}$, $\frac{3}{10}$, $\frac{4}{10}$, $\frac{6}{10}$, $\frac{8}{10}$, $\frac{9}{10}$ / 0.2, 0.5, 0.7, 0.8

2 대분수를 분모가 10인 분수로 고치고 소수로 나타내세요.

$3\frac{1}{2}=3+\frac{1}{2}=3+\frac{1\times 5}{2\times 5}=3+\frac{5}{10}=3.5$

$8\frac{3}{5}=8+\frac{3}{5}=8+\frac{3\times 2}{5\times 2}=8+\frac{6}{10}=8.6$

3 분수와 소수가 서로 같은 것끼리 선으로 이으세요.

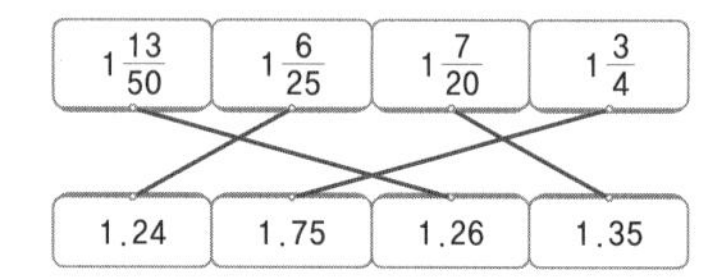

$1\frac{13}{50}$ — 1.26, $1\frac{6}{25}$ — 1.24, $1\frac{7}{20}$ — 1.35, $1\frac{3}{4}$ — 1.75

4 분수와 소수를 규칙에 따라 늘어놓았습니다. 빈 곳에 알맞은 수를 쓰세요.

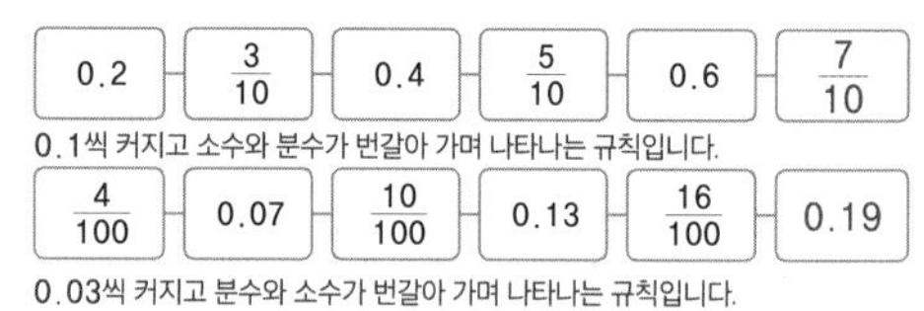

0.2 – $\frac{3}{10}$ – 0.4 – $\frac{5}{10}$ – 0.6 – $\frac{7}{10}$

0.1씩 커지고 소수와 분수가 번갈아 가며 나타나는 규칙입니다.

$\frac{4}{100}$ – 0.07 – $\frac{10}{100}$ – 0.13 – $\frac{16}{100}$ – 0.19

0.03씩 커지고 분수와 소수가 번갈아 가며 나타나는 규칙입니다.

5 ○ 안에 >, =, <를 알맞게 넣으세요.

$0.5 > \frac{1}{4}$ (0.25)　　$\frac{3}{8} > 0.369$ (0.375)

$\frac{1}{8} = 0.125$　　$0.21 < \frac{6}{25}$ (0.24)

6 5장의 카드를 한 번씩 모두 사용하여 조건에 맞는 수를 만들고 기약분수로 나타내세요.

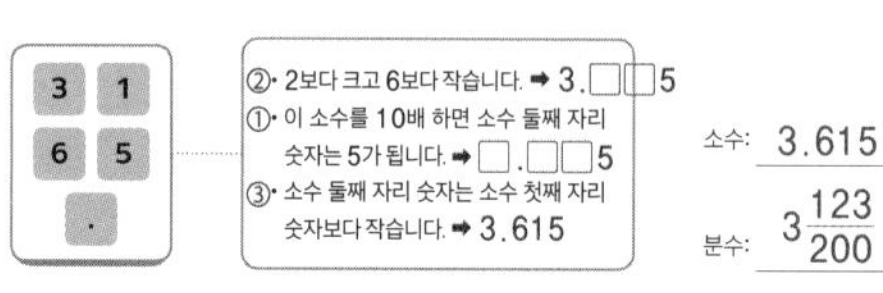

3 1
6 5
.
②• 2보다 크고 6보다 작습니다. ➡ 3.□□5
①• 이 소수를 10배 하면 소수 둘째 자리 숫자는 5가 됩니다. ➡ □.□□5
③• 소수 둘째 자리 숫자는 소수 첫째 자리 숫자보다 작습니다. ➡ 3.615

소수: 3.615

분수: $3\frac{123}{200}$

64쪽

7 분수와 소수의 크기를 비교하여 큰 수부터 차례로 기호를 쓰세요.

㉠ $\frac{9}{25}$　㉡ 0.46　㉢ $\frac{3}{8}$　㉣ 0.39

$\frac{36}{100}=0.36$　　$\frac{375}{1000}=0.375$

㉡, ㉣, ㉢, ㉠

8 □ 안에 들어갈 수 있는 자연수는 모두 몇 개인가요?

$\frac{7}{125}<\frac{□}{1000}<\frac{8}{125}$

$\frac{56}{1000}<\frac{□}{1000}<\frac{64}{1000}$

□=57, 58, 59, ……, 63

7 개

9 진호는 2 m짜리 끈의 $\frac{2}{5}$를 사용했고, 민수는 3 m짜리 끈의 1.7 m를 사용했습니다. 끈이 더 많이 남은 사람은 누구인가요?

민수

남은 끈 ┌ 진호: 1.2 m
　　　 └ 민수: 1.3 m

소수의 곱셈

66·67쪽

1일 413 곱의 소수점의 위치

개념원리 곱의 소수점의 위치를 알아봅시다.

0.27 × 10 = 2.7
0.27 × 100 = 27
0.27 × 1000 = 270

곱하는 수의 0의 수만큼 소수점이 오른쪽으로 옮겨집니다.

360 × 0.1 = 36
360 × 0.01 = 3.6
360 × 0.001 = 0.36

곱하는 수의 소수점 아래 자릿수만큼 소수점이 왼쪽으로 옮겨집니다.

0.7×10 = 7
0.7×100 = 70
0.7×1000 = 700

25×0.1 = 2.5
25×0.01 = 0.25
25×0.001 = 0.025

0.145×10 = 1.45
0.145×100 = 14.5
0.145×1000 = 145

4150×0.1 = 415
4150×0.01 = 41.5
4150×0.001 = 4.15

0.9×10=9 1.2×10=12 5.1×10=51

0.31×100 =31 1.94×100 =194 7.15×100 =715

0.125×1000 =125 2.142×1000 =2142 5.028×1000 =5028

8×0.1 =0.8 24×0.1 =2.4 59×0.1 =5.9

43×0.01 =0.43 210×0.01 =2.1 107×0.01 =1.07

718×0.001 =0.718 1580×0.001 =1.58 3058×0.001 =3.058

66 응용연산 E2 / 4주 : 소수의 곱셈 67

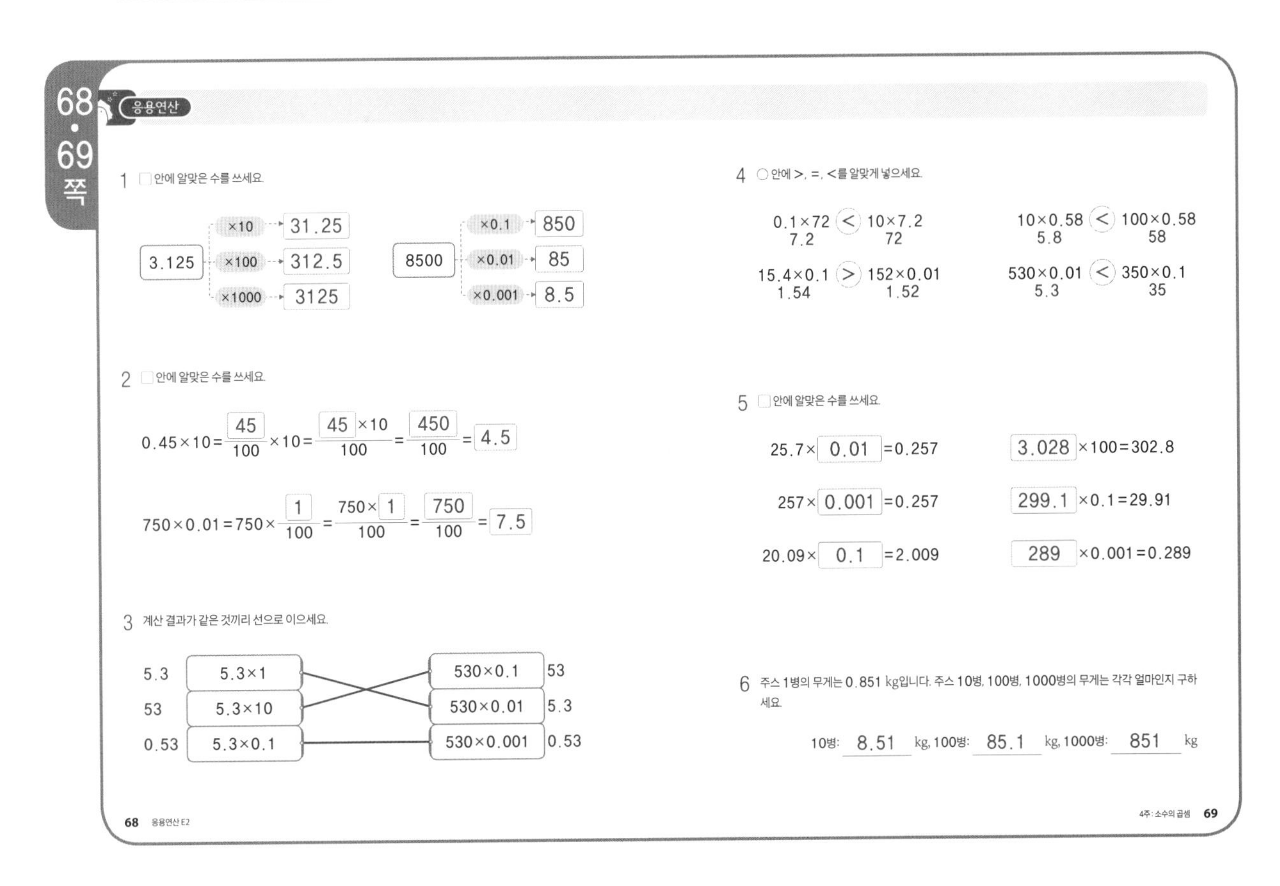

68·69쪽

응용연산

1 □ 안에 알맞은 수를 쓰세요.

3.125 → ×10 → 31.25, ×100 → 312.5, ×1000 → 3125

8500 → ×0.1 → 850, ×0.01 → 85, ×0.001 → 8.5

2 □ 안에 알맞은 수를 쓰세요.

$0.45\times10=\frac{45}{100}\times10=\frac{45\times10}{100}=\frac{450}{100}=4.5$

$750\times0.01=750\times\frac{1}{100}=\frac{750\times1}{100}=\frac{750}{100}=7.5$

3 계산 결과가 같은 것끼리 선으로 이으세요.

5.3 5.3×1 — 530×0.01 5.3
53 5.3×10 — 530×0.1 53
0.53 5.3×0.1 — 530×0.001 0.53

4 ○ 안에 >, =, <를 알맞게 넣으세요.

0.1×72 < 10×7.2 (7.2, 72)
10×0.58 < 100×0.58 (5.8, 58)
15.4×0.1 > 152×0.01 (1.54, 1.52)
530×0.01 < 350×0.1 (5.3, 35)

5 □ 안에 알맞은 수를 쓰세요.

25.7×0.01=0.257
3.028×100=302.8
257×0.001=0.257
299.1×0.1=29.91
20.09×0.1=2.009
289×0.001=0.289

6 주스 1병의 무게는 0.851 kg입니다. 주스 10병, 100병, 1000병의 무게는 각각 얼마인지 구하세요.

10병: 8.51 kg, 100병: 85.1 kg, 1000병: 851 kg

68 응용연산 E2 / 4주 : 소수의 곱셈 69

70·71쪽

2일 C 414 소수와 자연수의 곱셈

자연수의 곱셈을 이용하여 소수와 자연수의 곱셈을 계산해 봅시다.

$4 \times 13 = 52 \Rightarrow 4 \times 1.3 = 5.2$

$4 \times 13 = 52$, $\frac{1}{10}$배, $\frac{1}{10}$배, $4 \times 1.3 = 5.2$

$121 \times 15 = 1815 \Rightarrow 1.21 \times 15 = 18.15$

$121 \times 15 = 1815$, $\frac{1}{100}$배, $\frac{1}{100}$배, $1.21 \times 15 = 18.15$

곱의 소수점의 위치는 곱하는 소수의 소수점의 위치와 같습니다.

$5 \times 13 = 65 \Rightarrow 5 \times 1.3 = 6.5$

$27 \times 4 = 108 \Rightarrow 2.7 \times 4 = 10.8$

$129 \times 4 = 516 \Rightarrow 1.29 \times 4 = 5.16$

$214 \times 17 = 3638 \Rightarrow 2.14 \times 17 = 36.38$

$0.7 \times 4 = 2.8$

$3.4 \times 3 = 10.2$

$2.34 \times 4 = 9.36$

$5 \times 0.9 = 4.5$

$6 \times 5.2 = 31.2$

$8 \times 1.71 = 13.68$

$0.8 \times 8 = 6.4$

$4 \times 2.6 = 10.4$

$1.7 \times 7 = 11.9$

$6 \times 1.52 = 9.12$

$0.97 \times 5 = 4.85$

$11 \times 2.12 = 23.32$

72·73쪽

응용연산

1 여러 가지 방법으로 계산한 것입니다. □ 안에 알맞은 수를 쓰세요.

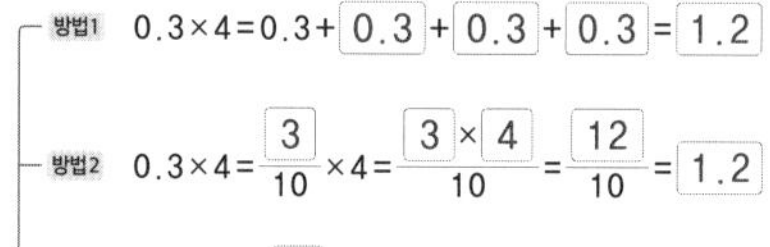

방법1 $0.3 \times 4 = 0.3 + 0.3 + 0.3 + 0.3 = 1.2$

방법2 $0.3 \times 4 = \frac{3}{10} \times 4 = \frac{3 \times 4}{10} = \frac{12}{10} = 1.2$

방법3 0.3은 0.1이 3개입니다.

0.3×4는 0.1이 3개씩 4묶음입니다.

0.1이 모두 12개이므로 0.3×4=1.2입니다.

2 어림했을 때 계산 결과가 10보다 작은 것을 찾아 기호를 쓰세요.

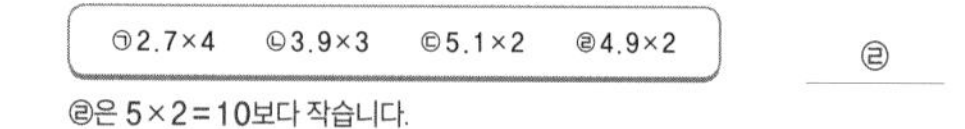

㉠2.7×4 ㉡3.9×3 ㉢5.1×2 ㉣4.9×2

㉣

㉣은 5×2=10보다 작습니다.

3 빈 곳에 알맞은 수를 쓰세요.

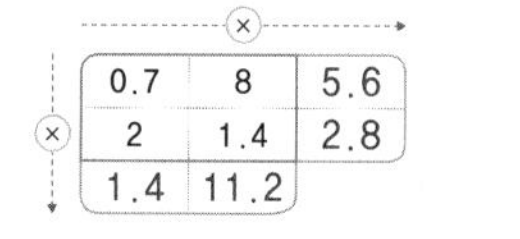

0.7	8	5.6
2	1.4	2.8
1.4	11.2	

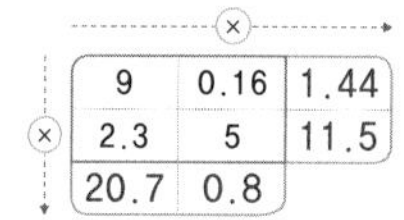

9	0.16	1.44
2.3	5	11.5
20.7	0.8	

4 152×27=4104입니다. 관계있는 것끼리 선으로 이으세요.

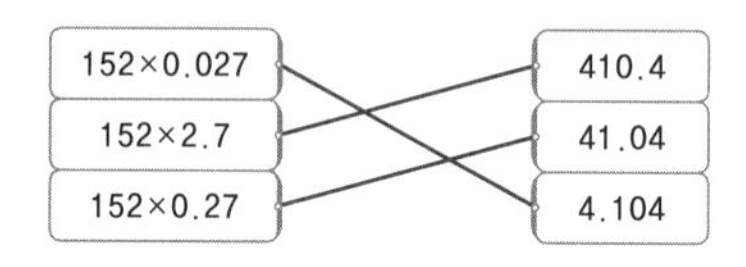

5 평행사변형의 넓이는 몇 m^2인가요?

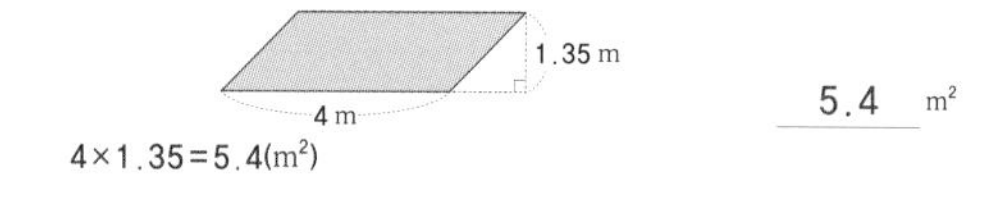

$4 \times 1.35 = 5.4(m^2)$

5.4 m^2

6 찬우는 매일 아침 공원에서 1.4 km씩 달리기를 합니다. 찬우가 이주일 동안 달리기를 한 거리는 몇 km인가요?

$1.4 \times 14 = 19.6(km)$

19.6 km

74·75쪽

3일 415 소수 한 자리 수끼리의 곱셈

개념원리 자연수의 곱셈을 이용하여 소수 한 자리 수끼리의 곱셈을 알아봅시다.

$3 \times 5 = 15 \Rightarrow 0.3 \times 0.5 = 0.15$

$21 \times 15 = 315 \Rightarrow 2.1 \times 1.5 = 3.15$

소수 한 자리 수끼리의 곱은 소수 두 자리 수가 됩니다.

1.2×0.5=0.60과 같이 소수점 아래 끝에 0이 나올 경우 0을 지워 0.6과 같이 나타냅니다.

$2 \times 6 = 12 \Rightarrow 0.2 \times 0.6 = 0.12$

$8 \times 5 = 40 \Rightarrow 0.8 \times 0.5 = 0.4$

$13 \times 24 = 312 \Rightarrow 1.3 \times 2.4 = 3.12$

$35 \times 36 = 1260 \Rightarrow 3.5 \times 3.6 = 12.6$

$0.5 \times 0.7 = 0.35$

$0.8 \times 0.8 = 0.64$

$2.7 \times 0.3 = 0.81$

$0.6 \times 3.5 = 2.1$

$1.7 \times 1.4 = 2.38$

$5.3 \times 9.2 = 48.76$

0.7×0.7=0.49

0.4×0.5=0.2

3.8×0.4=1.52

0.2×7.8=1.56

1.5×1.5=2.25

4.9×3.3=16.17

76·77쪽

응용연산

1 0.5×0.3을 여러 가지 방법으로 계산한 것입니다. □ 안에 알맞은 수를 쓰세요.

분수의 곱셈으로 계산하기

$0.5 \times 0.3 = \frac{5}{10} \times \frac{3}{10} = \frac{15}{100} = 0.15$

자연수의 곱셈으로 계산하기

$5 \times 3 = 15$

$\frac{1}{10}$배, $\frac{1}{10}$배, $\frac{1}{100}$배

$0.5 \times 0.3 = 0.15$

2 가장 큰 수에 ○표 하세요.

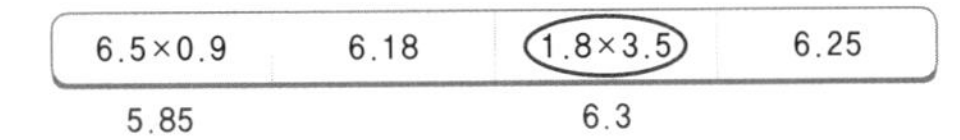

6.5×0.9	6.18	(1.8×3.5)	6.25
5.85		6.3	

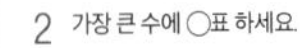

3 ■안에 들어갈 수 있는 가장 작은 자연수와 ▲ 안에 들어갈 수 있는 가장 큰 자연수를 각각 구하세요.

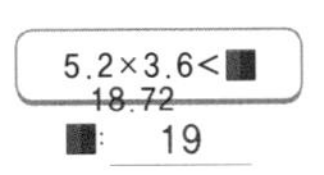

5.2×3.6<■
18.72
■: 19

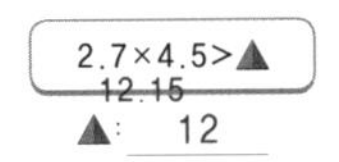

2.7×4.5>▲
12.15
▲: 12

4 수 카드 4장을 한 번씩 모두 사용하여 (소수 한 자리 수)×(소수 한 자리 수)의 식을 만들려고 합니다. 곱이 가장 큰 곱셈식을 만들고 계산하세요.

6.2×5.3=32.86

또는 5.3×6.2=32.86

5 색칠한 부분의 넓이는 몇 cm^2인지 구하세요.

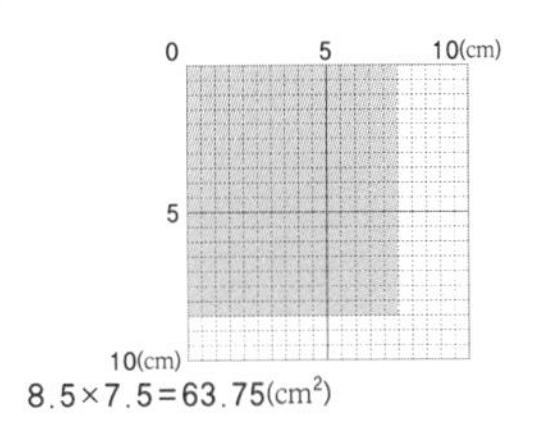

$8.5 \times 7.5 = 63.75(cm^2)$

63.75 cm^2

6 승호의 몸무게는 진우의 몸무게의 1.4배입니다. 진우의 몸무게가 28.5 kg이라면 승호의 몸무게는 몇 kg인가요?

28.5×1.4=39.9(kg)

39.9 kg

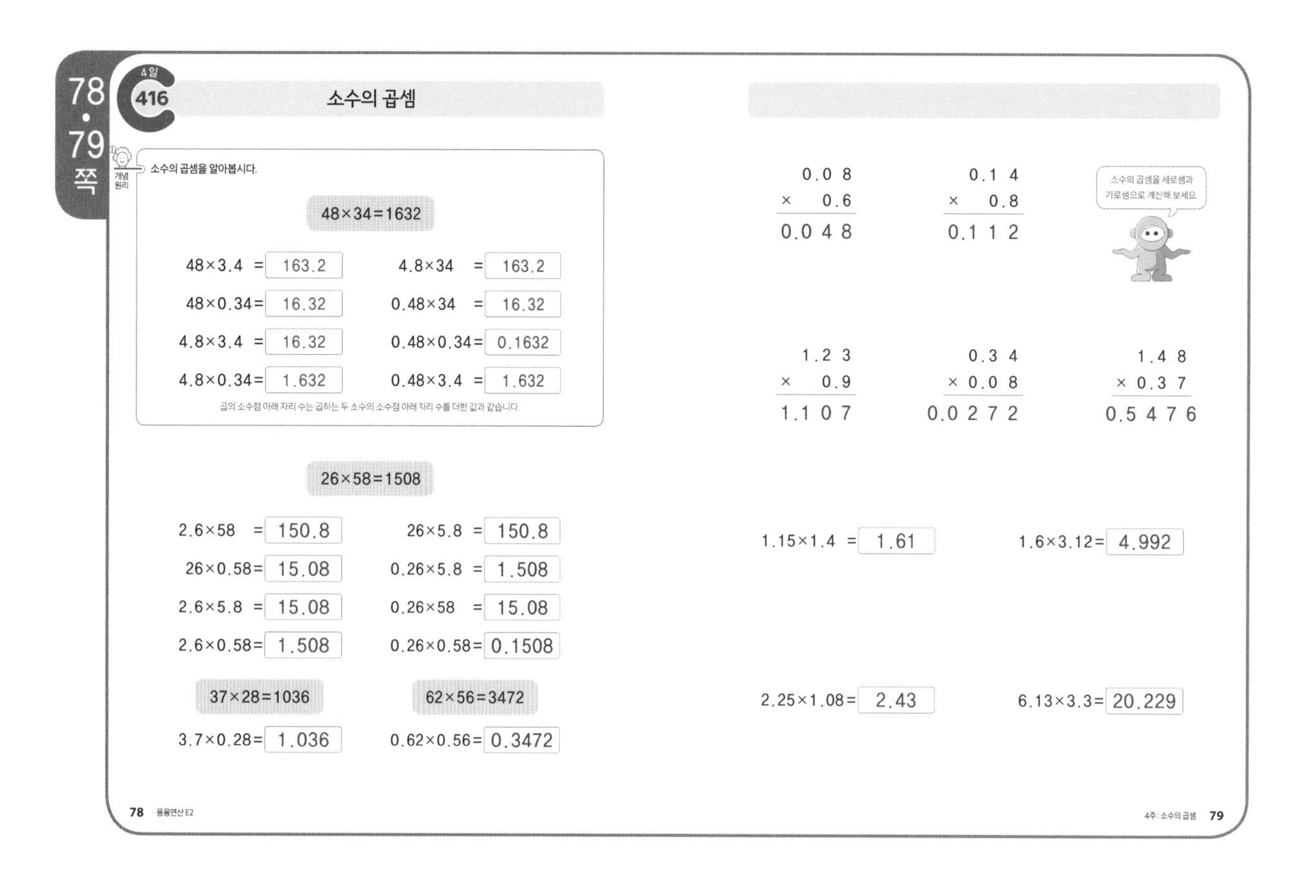

78·79쪽

4일 416 소수의 곱셈

개념원리 소수의 곱셈을 알아봅시다.

48×34=1632

48×3.4 = 163.2　　4.8×34 = 163.2

48×0.34= 16.32　　0.48×34 = 16.32

4.8×3.4 = 16.32　　0.48×0.34= 0.1632

4.8×0.34= 1.632　　0.48×3.4 = 1.632

곱의 소수점 아래 자리 수는 곱하는 두 소수의 소수점 아래 자리 수를 더한 값과 같습니다.

26×58=1508

2.6×58 = 150.8　　26×5.8 = 150.8

26×0.58= 15.08　　0.26×5.8 = 1.508

2.6×5.8 = 15.08　　0.26×58 = 15.08

2.6×0.58= 1.508　　0.26×0.58= 0.1508

37×28=1036　　62×56=3472

3.7×0.28= 1.036　　0.62×0.56= 0.3472

0.08 × 0.6 = 0.048　　0.14 × 0.8 = 0.112

소수의 곱셈을 세로셈과 가로셈으로 계산해 보세요.

1.23 × 0.9 = 1.107　　0.34 × 0.08 = 0.0272　　1.48 × 0.37 = 0.5476

1.15×1.4 = 1.61　　1.6×3.12= 4.992

2.25×1.08= 2.43　　6.13×3.3= 20.229

78 응용연산 E2　　4주: 소수의 곱셈 79

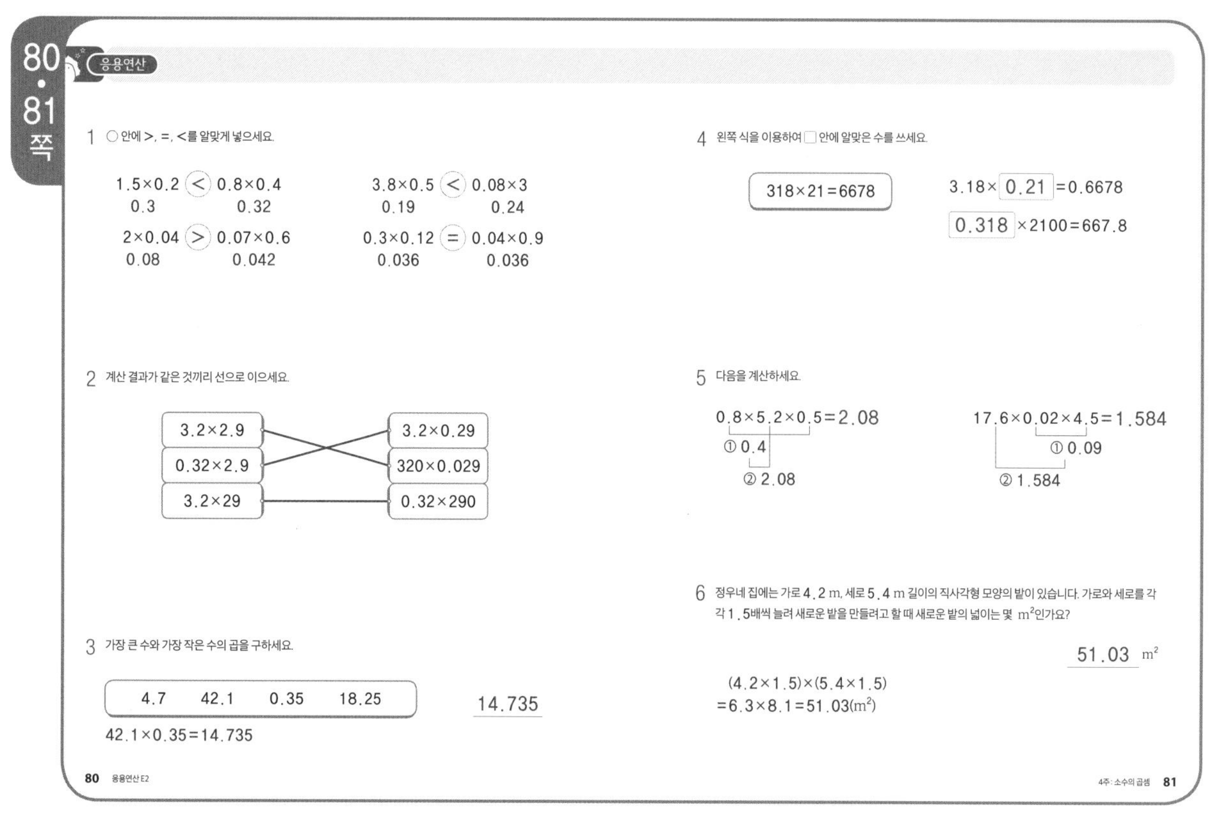

80·81쪽

응용연산

1 ○ 안에 >, =, <를 알맞게 넣으세요.

1.5×0.2 < 0.8×0.4 (0.3, 0.32)　　3.8×0.5 < 0.08×3 (0.19, 0.24)

2×0.04 > 0.07×0.6 (0.08, 0.042)　　0.3×0.12 = 0.04×0.9 (0.036, 0.036)

2 계산 결과가 같은 것끼리 선으로 이으세요.

3.2×2.9 — 320×0.029

0.32×2.9 — 3.2×0.29

3.2×29 — 0.32×290

3 가장 큰 수와 가장 작은 수의 곱을 구하세요.

4.7　42.1　0.35　18.25　　14.735

42.1×0.35=14.735

4 왼쪽 식을 이용하여 □ 안에 알맞은 수를 쓰세요.

318×21=6678

3.18× 0.21 =0.6678

0.318 ×2100=667.8

5 다음을 계산하세요.

0.8×5.2×0.5=2.08　① 0.4　② 2.08

17.6×0.02×4.5=1.584　① 0.09　② 1.584

6 정우네 집에는 가로 4.2 m, 세로 5.4 m 길이의 직사각형 모양의 밭이 있습니다. 가로와 세로를 각각 1.5배씩 늘려 새로운 밭을 만들려고 할 때 새로운 밭의 넓이는 몇 m^2인가요?

51.03 m^2

(4.2×1.5)×(5.4×1.5)
=6.3×8.1=51.03(m^2)

80 응용연산 E2　　4주: 소수의 곱셈 81

82·83쪽

5일 형성평가

1 □ 안에 알맞은 소수를 쓰세요.

2.046 → ×10 → 20.46, ×100 → 204.6, ×1000 → 2046

5700 → ×0.1 → 570, ×0.01 → 57, ×0.001 → 5.7

2 계산 결과가 같은 것끼리 선으로 이으세요.

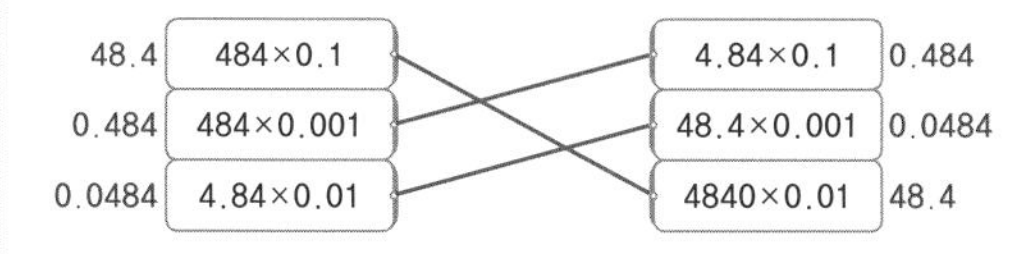

48.4	484×0.1	4.84×0.1	0.484
0.484	484×0.001	48.4×0.001	0.0484
0.0484	4.84×0.01	4840×0.01	48.4

3 민수는 매일 물을 1.3 L씩 마십니다. 민수가 일주일 동안 마신 물은 모두 몇 L인가요?

9.1 L

1.3×7=9.1(L)

4 ■ 안에 들어갈 수 있는 가장 큰 자연수와 ▲ 안에 들어갈 수 있는 가장 작은 자연수를 각각 구하세요.

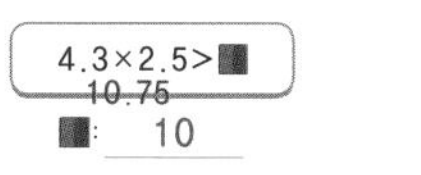

■: 10

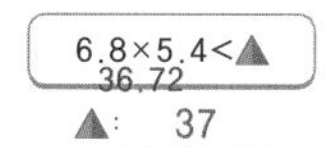

▲: 37

5 수 카드 4장을 한 번씩 모두 사용하여 (소수 한 자리 수)×(소수 한 자리 수)의 식을 만들려고 합니다. 곱이 가장 큰 곱셈식을 만들고 계산하세요.

3 5 6 8

8.3 × 6.5 = 53.95

또는 6.5×8.3=53.95

6 59×25=1475입니다. 계산이 맞도록 밑줄 친 수에 소수점을 찍으세요.

0.059×25
= 1.4 7 5

5.9×0.025
=0.1 4 7 5

84쪽

7 다음을 계산하세요.

$$\begin{array}{r} 2.6 \\ \times\ 0.5 \\ \hline 1.3 \end{array} \qquad \begin{array}{r} 4.58 \\ \times\ 2.1 \\ \hline 9.618 \end{array} \qquad \begin{array}{r} 5.25 \\ \times\ 0.74 \\ \hline 3.885 \end{array}$$

8 다음을 계산하세요.

3.7×0.4×0.5=0.74
① 0.2
② 0.74

12.5×4.7×0.8=47
① 10
② 47

9 준호네 집 마당은 가로 3.8 m, 세로 4.5 m 길이의 직사각형 모양입니다. 가로와 세로를 각각 1.4배씩 늘려 새로운 마당을 만들려고 할 때, 새로운 마당의 넓이는 몇 m^2인가요?

33.516 m^2

(3.8×1.4)×(4.5×1.4)=33.516(m^2)

Memo

Memo

“

Numbers rule the universe.

”

"수가 우주를 지배한다"

Pythagoras, 피타고라스